ATÉ O DIA EM QUE O CÃO MORREU

DANIEL GALERA

Até o dia em que o cão morreu

6ª reimpressão

COMPANHIA DAS LETRAS

Copyright © 2007 by Daniel Galera
Originalmente publicado pela editora Livros do Mal, em Porto Alegre, 2003.

Capa
Christiano Menezes

Preparação
Denise Pessoa

Revisão
Arlete Sousa
Isabel Jorge Cury

Os personagens e as situações desta obra são reais apenas no universo da ficção; não se referem a pessoas e fatos concretos, e sobre eles não emitem opinião.

Dados Internacionais de Catalogação na Publicação (CIP)
(Câmara Brasileira do Livro, SP, Brasil)

Galera, Daniel
    Até o dia em que o cão morreu / Daniel Galera. — 1ª ed. — São Paulo : Companhia das Letras, 2007.

    ISBN 978-85-359-0987-6

    1. Ficção Brasileira   I. Título.

07-1011   CDD-869.93

Índice para catálogo sistemático:
1. Romances : Literatura brasileira 869.93

[2022]
Todos os direitos desta edição reservados à
EDITORA SCHWARCZ S.A.
Rua Bandeira Paulista, 702, cj. 32
04532-002 — São Paulo — SP
Telefone (11) 3707-3500
www.companhiadasletras.com.br
www.blogdacompanhia.com.br
facebook.com/companhiadasletras
instagram.com/companhiadasletras
twitter.com/cialetras

O que desejamos é trazer para um mundo fundamentalmente descontínuo toda a continuidade que ele pode sustentar.

Georges Bataille, *L'érotisme*

Até o dia em que o cão morreu, eu nunca me lembrava dos meus sonhos. Sonhava, é claro, mas as imagens do sonho não permaneciam na memória além daqueles poucos segundos após o despertar. Sempre duvidei de gente que me narrava sonhos de uma noite anterior, pra mim eram mentirosos. Desde aquele dia, contudo, tenho um sonho recorrente. Há pequenas variações, mas é o seguinte: estou deitado no colchão de casal do meu quarto, pelado, lendo uma tralha qualquer. Fecho o livro e me estico na cama, as pernas debaixo do cobertor, escutando apenas o zunido dos mosquitos. Uma pessoa deveria chegar a qualquer momento, tenho essa sensação, mas ninguém chega. A vista da janela é exatamente a mesma daquele apartamento — a água cinzenta do Guaíba, a chaminé da Usina, as ilhas e os prédios —, porém as cores são estranhas, muitos verdes e violetas, com raios piscando no horizonte. Fico deitado no colchão com as pernas esticadas e abertas num ângulo confortável, as mãos por trás da cabeça, deixando o pescoço inclinado o suficiente pra enxergar o céu. Sinto um tremor leve nos órgãos internos, o que imagino serem gases. As contrações ficam cada vez mais intensas, os órgãos se movem, o estômago quer trocar de lugar com o pâncreas. Minha pele esfria, e começo a transpirar um suor nojento. Entendo que algo fora do comum está acontecendo. Meu sangue dispara pelas veias, os órgãos enfurecidos se espremem contra o esqueleto. Uma protuberância começa a crescer perto das minhas costelas, do lado esquerdo, causando uma dor intensa que irradia por todo o tórax e o abdômen. Grito por socorro, mas estou certo de que ninguém escuta. Tenho plena consciência de que estou e permanecerei sozinho. Enquanto o calombo cresce nas minhas costelas, como se o corpo tentasse expulsar um feto maligno, penso que é uma péssima idéia morar num apartamento tão alto, sem telefone, sem conhecer vizinhos. Tento gritar o nome de amigos, minha família, mas os gritos já não saem, e me dou conta de que faz tempo demais que não falo com nenhum deles, ou simplesmente não tenho intimidade suficiente, não me sinto no direito de pedir ajuda a ninguém que me lembro de conhecer. A dor aumenta, tenho receio de desmaiar, ou morrer, e aquele calombo vai crescendo até se tornar uma extensão do meu corpo, a pele esticada, a carne se mexendo por dentro. A saliência assume formas complexas, e logo identifico nela um braço rudimentar, mãos, pernas atrofiadas que se desenvolvem com uma rapidez impossível. Surge também uma cabeça, um toco que se agita e apresenta gradualmente as proporções de um crânio humano. Não posso controlar meus movimentos, e quanto mais tento resistir ao processo, mais sofro. Os membros e a cabeça adquirem um aspecto adulto, e pequenos pêlos escuros brotam daquela outra pele que surgiu da minha. Então, o desespero vai dando lugar a uma espécie de resignação. Entendo que, seja lá o que for que esteja acontecendo, não está sob meu controle. Desejo apenas que acabe logo, que chegue às últimas conseqüências. A própria dor já não me incomoda, entro num transe que não é de sofrimento, e sim um torpor que fica mais agradável a cada segundo. Tremo, sinto as veias inchadas, e um formigamento agradável dá uma sensação de sono. Do meu lado, no colchão, a massa de carne que sai de mim se assemelha muito a um ser humano, o cabelo crescendo, dedos se dobrando, testando as articulações, um outro corpo que cresce a partir do meu em poucos minutos, os dois ainda unidos por um istmo de carne, que vai diminuindo de espessura até se romper num estalo. Finalmente, há dois indivíduos deitados sobre o colchão, desacordados e idênticos um ao outro. O mais estranho é que, a essa altura, já observo isso de fora. Dois sujeitos idênticos a mim, e nenhum dos dois sou eu.

Acordei com a Marcela me sacudindo. Tem um bicho arranhando a porta, falou. Não entendi no início. Levantei e fui até a sala. Som de unhas raspando a madeira. É o meu cachorro, resmunguei.

Tu tem um cachorro?

Tenho.

Virei a chave e abri a porta. O cachorro preto entrou, deu duas voltas ao meu redor, baixou um pouco a cabeça quando estiquei a mão pra esfregar sua orelha. Depois foi até a Marcela e começou a cheirar as pernas dela.

Ele morde?

Não que eu saiba.

Qual o nome dele?

Não sei.

Tu não deu um nome pro cachorro?

Não. Pra quê?

Coitadinho, dá um nome pra ele.

Ele não entende, mesmo.
Cachorros precisam de um nome, ela disse, se abaixando pra tocar o cão, cautelosa. Se tu não vai dar nome, eu dou.
Não faz isso.
Já sei. Argos!
Era o nome do cachorro do Ulisses. É um clichê.
Ah, é? Era o nome do diretor do meu colégio, também.
Né, Argos? Vem cá, bichinho.
Não chama ele de Argos.
Dá outro nome então.
Tá bom, eu vou dar um nome, tá? Sossega.
Que nome?
Deixa eu pensar um tempo, te acalma.

Agora o cachorro gemia baixinho e me olhava. Na maioria dos dias, ele dava um jeito de comer algo na rua, mas algumas vezes me chegava com esse olhar pedinte, ganindo pra se fazer entender. Fui até a cozinha. Dentro do forno, dois hambúrgueres fritos, esquecidos. Cheirei, não pareciam estragados. O cachorro espreitava pela porta. Coloquei os hambúrgueres no chão e observei o cão cheirar os acepipes, até se convencer de que mereciam ser mastigados.

Encontrei esse cachorro quase morto de fome na Praça da Alfândega, numa madrugada de outono fria pra cacete, quando voltava de um bar. Era um vira-lata que deixara de ser filhote fazia pouco tempo, preto com dezenas de manchas brancas. Na esquina havia uma caçamba de entulho da prefeitura. Vasculhei o lixo ali dentro e encontrei uma tira comprida de plástico. Improvisei uma coleira ao redor do pescoço do cachorro e o arrastei até o meu prédio, no alto da Duque. Não tinha certeza se era permitido ter cães no prédio, mas um casal de idosos no andar debaixo do meu tinha um boxer fedorento que vivia latindo, então me senti à vontade pra atravessar o saguão arrastando o vira-lata pela coleira e chamar o elevador. O porteiro da manhã, seu Elomar, tirou os olhos da tela de seu minúsculo aparelho de televisão e nos analisou cuidadosamente. Parecia estar pensando se haveria objeção a fazer quanto ao cachorro. Depois de pensar muito, julgou suficiente um cumprimento de cabeça e voltou a atenção à tevê. O elevador chegou, puxei o cachorro pra dentro e apertei o botão do último andar. O bichinho cheirava tudo com aflição. No apartamento, catei uns restos de rango, arroz, pão, juntei umas fatias de presunto e servi pra ele num prato. Comeu devagar, desconfiado. Sentei no sofá surrado da sala, acendi um cigarro e fiquei curtindo uma tontura, olhando as estrelas pela janela. Havia algumas noites, raras, em que me sentia realmente sozinho, mais que o normal. E nesses casos era preciso me concentrar muito pra afastar essa fraqueza. Naqueles dias, eu estava trabalhando como ajudante de produção num curta-metragem de um amigo. Era uma merda, mas ele tinha me prometido algum dinheiro, que efetivamente acabou pagando semanas depois, pra minha surpresa. No início, eu estava empolgado por participar de um projeto e conviver com um grupo de pessoas todo dia. Em uma semana, enchi o saco, e só a idéia do dinheiro que receberia me manteve participando daquilo. Aprendi isso cedo. Não consigo conviver muito tempo com ninguém. E tinha isso em mente ao decidir que não teria telefone em casa. Se houvesse a possibilidade das pessoas me ligarem, eu sofreria demais nas noites em que ninguém ligasse. Quando ligassem, eu me irritaria por estarem me incomodando. Então apenas acendia um cigarro, ou abria uma garrafa de cerveja, sentava no sofá e me concentrava em nada, até que uma relativa sensação de paz se estabelecesse. Meu objetivo, ultimamente, era me preocupar apenas com as coisas que realmente importam, e não são muitas. Pouco mais do que cigarros, uma garrafa de cachaça ou vodca no congelador, uma foda de vez em quando, um lugar quieto de onde fosse possível observar as coisas de cima. Naquela madrugada, meditando, cheguei à conclusão de que seria legal ter aquele cachorro em casa. Quer dizer, isso se *ele* quisesse ficar no meu apartamento. O cão terminou de comer e saiu da cozinha, sondando o ambiente desconhecido. Peguei um dos meus dois cobertores, dobrei num quadrado, coloquei no canto da sala e fui dormir.

Pela manhã havia mijo no cobertor e um cagalhão perto da porta da sala. O cachorro estava deitado embaixo de um raio de sol que entrava pela janela da cozinha. Dei-lhe um tapa na orelha, levantei-o pelo couro, arrastei-o até a sala e meti seu focinho no mijo do cobertor, esfregando bem. Repeti a operação com o cocô. Saí de cueca mesmo, com o cachorro pendurado numa das mãos, suspenso no ar, chamei o elevador, desci até o térreo, atravessei o saguão, abri a porta e joguei o bicho na calçada. Ele deu umas voltinhas, humilhado. Se afastou uns metros, depois voltou, sentou, ficou me olhando de canto. Fechei a porta e voltei pro apartamento.

Horas mais tarde, fui à entrada do prédio ver se o cachorro estava lá, mas não estava. Fiquei decepcionado. Eu queria que ele estivesse ali. A tarde era longa. Sentei no fio da calçada. Olhei a carteira de cigarros, meia dúzia. Se fumasse um a cada vinte minutos, podia esperar duas horas. Fiquei ali fumando e olhando os carros passarem. O sol estava bom. Os cigarros acabaram e bateu uma fome. A uma quadra dali havia um boteco, do lado de um cursinho pré-vestibular. Pedi um xis bacon com ovo e uma cerveja. Polpudas gurias de classe baixa desfilavam na calçada com coxas e costas de fora, em direção ao cursinho. Algumas olhavam pra mim e sorriam. Quando terminei meu almoço, já passava do meio da tarde. Comprei mais uma carteira de cigarro e voltei pro prédio. Nenhum sinal do cachorro. Frustrado, decidi que iria rondar a entrada do prédio até aquele bicho voltar. Esperava uma retribuição por tê-lo tirado do frio e alimentado na noite anterior. Queria a certeza de que, agora, ele dependia de mim. Sentei de novo na calçada, decidido a aguardar mais duas horas. No quinto cigarro, o cachorro apareceu. Era um bicho debilitado, caminhava com dificuldade. Me identificou e se aproximou um pouco, guardando uma distância segura. Estendi a mão na direção dele, assobiei. Ele hesitou. Não me movi, apenas esperei, com a mão estendida, até que ele se aproximasse o suficiente pra me cheirar. Passei a mão na cabeça dele, cocei o pescoço. Quando senti que ele estava à vontade, agarrei-o e o pus no colo. Falei com ele. Tu não vai mais cagar na minha casa, né, seu cagão? Vamos tentar de novo? Ele estava assustado. Carreguei-o nos braços até o apartamento. Enchi uma vasilha de plástico com água e coloquei uns panos no mesmo canto em que deixara o cobertor na noite passada.

Com o tempo, eu e o cachorro nos entendemos.

Às vezes ele passava duas ou três noites sem aparecer, mas sempre voltava. Eu o encontrava na calçada, deitado num pedacinho de grama do jardim do prédio vizinho. Ele me seguia pelo saguão do prédio, entrava no elevador comigo. Tive que dar uns cascudos nele mais algumas vezes por causa do mijo e do cocô, mas depois de umas semanas ele nunca mais sujou o apartamento. Quando queria muito cagar, arranhava a porta e eu o descia até a rua.

Não sei dizer o que me atraía no cachorro. Sua simples presença, o fato de ele voltar a cada dois ou três dias, me dava prazer.

Como a Marcela.

Naquela manhã em que ela me encheu o saco pra eu dar um nome pro bicho, acabei chamando ele de Churras. Foi a única coisa que me ocorreu, pareceu simpático.

Satisfeita por eu ter cedido às suas pressões pelo batismo do cão, a Marcela ficou tomada de uma alegria infantil, que me deixou constrangido. Eu me distraí por alguns instantes, e quando voltei a prestar atenção ela estava lavando a louça na minha pia, no meio de uma explanação sobre as brigas que andava tendo com uma tal de Cíntia, com quem dividia o apartamento. A gente se conhecia fazia menos de doze horas. Meu rosto estava marcado pelo tapão que ela me dera horas antes, na nossa primeira e pitoresca tentativa de fazer sexo. Deixei que ela lavasse a louça, prestando um mínimo de atenção no que dizia. Quando terminou, menti que tinha um compromisso dali a pouco. Ela pediu o meu telefone antes de ir embora. Chamei atenção pro fato de que eu não tinha telefone. Ela anotou o celular dela no verso de uma nota de compras, me entregou e perguntou se podia voltar pra me visitar uma hora dessas. Eu disse que não podia proibir ela de nada. Falei isso mesmo. Naquele momento, só queria que ela fosse embora. Fiquei em silêncio, nos beijamos, e deixei ela sumir pela porta.

Meu estômago doía pra cacete. Andava comendo pouco e tomando trago demais. Cheguei no prédio ao amanhecer, depois de atravessar quatro bairros a pé. Seu Elomar, com sua cara vermelha de shar-pei, cheia de gomos enrugados, estava sentado na cadeira de couro da portaria, a cabeça apontada pra baixo, mirando a imagem minúscula de um daqueles aparelhinhos compactos de rádio e tevê. A imagem era um borrão sem sentido, mas seu Elomar devia enxergar ali alguma coisa interessante, pois não tirava nunca os olhos do quadradinho iluminado. Entrei no elevador, desci no meu andar, abri a porta e corri pro banheiro a tempo de despejar dentro da pia uma quantidade insensata de uísque nacional. Passei uma água na cara e desabei sobre o colchão. Uma dor de estômago insuportável me despertou lá pelas onze da manhã. Vomitei de novo, e vi sangue ali no meio. Decidi dar um pulo na farmácia. Quando desci do elevador, acenei pro seu Elomar. Senti uma tontura muito forte e fechei os olhos.

Quando os abri, estava deitado num sofá com cheiro de mofo, com o lábio superior cortado. Seu Elomar apareceu e disse que eu desmaiara ao pisar no corredor e dera de cara no chão. Estávamos no apartamento dele, que morava meio de favor num cubículo do térreo. Sentei, e tive vontade de tirar meu cérebro do crânio pra lavar com água morninha e sabonete. Vi que as paredes do cubículo estavam completamente cobertas de quadros, pinturas e desenhos coloridos. Alguns eram vagamente figurativos, mas a maioria era abstrata. Seu Elomar percebeu o meu interesse e disse, com um orgulho que falhou em dissimular, que as pinturas eram dele. Elogiei, pois eram realmente impressionantes. Perguntei se ele já tinha feito alguma exposição, ele negou. Me trouxe uma xícara de café preto, muito forte e não adoçado. Agradeci. Caralho, era bem o que eu precisava. Tomei um gole, meu estômago se contraiu, as pontadas recomeçaram, e pensei que devia sair logo dali pra comprar um Buscopan. Bem na minha frente tinha uma pintura meio abstrata que parecia uma coluna vertebral, da qual saíam feixes radiais de músculos incrivelmente vermelhos, ou pelo menos era isso que eu enxergava. Perguntei pro seu Elomar se ele me venderia umas telas, e ele agitou as bochechas gigantes e enrugadas num sorriso encabulado. Faço isso aqui também, ele disse, ajeitando os óculos de lentes grossas e abrindo as portas de um armário onde havia dezenas de esculturas em argila. Eram rostos humanos moldados toscamente, mas com uma quantidade impressionante de detalhes, compondo expressões tristes, alegres, caricatas, de homens, mulheres, crianças, velhos. Desta vez achei que ele estava brincando comigo. Não podiam ser dele. Eram diferentes demais dos quadros. Mas notei que algumas esculturas estavam incompletas, e ele explicou que se inspirava em fotos de revistas, principalmente. Agora eu já não sabia mais o que dizer. Imaginei há quanto tempo seu Elomar morava sozinho naquele buraco, trabalhando todo dia diante da tevezinha e do painel com as campainhas de todos os apartamentos. Olhei mais uma vez ao redor. Nenhum sinal de porta-retratos, fotos de família, gatos, cachorros, espelhos. Era sem dúvida um sujeito solitário, mas o apartamento dele, ao contrário do meu, era todo preenchido por quadros, esculturas, livros, suvenires obscuros, móveis e objetos cuja variedade me atordoava. Uma música começou a tocar, som chiado, de vinil. Seu Elomar estava num canto, ao lado da vitrola, e olhava pra mim como se aguardasse um comentário qualquer, que não fui capaz de fazer. Esse disco foi proibido na ditadura, ele disse, ficou só um dia nas lojas e confiscaram tudo, porque tinha uma música que criticava o governo. Mas consegui comprar um, hoje em dia é raríssimo. O que é?, perguntei, sinceramente curioso, e ele respondeu Elba Ramalho. Vi que ele remexia numa pilha de vinis, com certeza havia muita coisa pra me mostrar. Levantei com dificuldade e expliquei que ainda precisava ir na farmácia. Ele desligou a vitrola e me acompanhou até o saguão do prédio. Na portaria abandonada, a televisão pequenina permanecia ligada, e perguntei se ele conseguia assistir alguma coisa com aquela imagem. Ele disse que o olho já estava acostumado. Conferi a tela. Ainda era só um borrão sem sentido, mas o som até que dava pra entender. Na rua fazia sol, e perambulei atrás de uma farmácia aberta.

Quando voltei, encontrei o cachorro diante da porta do

apartamento, arranhando a madeira. Tomou um susto quando me viu. Abri, entramos. Sentei no sofá pra fumar um cigarro, o analgésico começava a fazer efeito e o meu estômago já não incomodava tanto. Então me dei conta. Como o cachorro tinha subido até o décimo sétimo andar? Fiquei um bom tempo pensando em todas as possibilidades. Não tinha como ele passar pelas portas corta-fogo. Muito menos usar o elevador. Começou a latir e uivar em direção à janela, e dei um coice nele pra que ficasse quieto, eu precisava pensar.

    Eu já tinha gastado um bom tempo tentando bolar um meio de o cachorro chegar ao apartamento sem que ninguém precisasse descer até o térreo. Consegui ensinar ele a subir pelas escadas. Dezessete malditos andares, que o desgraçado escalava com muito menos esforço que eu. Com o tempo, ele cresceu e se tornou um animal forte, magro mas marcado de músculos salientes, e com o pêlo regular e brilhante. O problema eram as portas corta-fogo que existiam no meio do caminho. Se eu abrisse as portas, o cachorro ia subindo em disparada, compenetrado e ofegante, e chegava lá em cima todo orgulhoso. Mas sendo a minha interferência absolutamente necessária devido às portas corta-fogo, subir pelo elevador ainda era a melhor opção. Eu queria bolar uma maneira de o cachorro entrar no prédio e chegar sozinho até o meu apartamento, e esse problema foi a minha principal preocupação durante certo período.

    Alguns dias depois, bati uma tarde na porta do seu Elomar e dei a ele todo o dinheiro que tinha em casa, cerca de quarenta reais, em troca de um quadro. Ele não quis aceitar, me ofereceu um quadro à minha escolha como presente, mas eu insisti. Acabou pegando o dinheiro. Enquanto eu retirava do prego meu quadro favorito, o da coluna vertebral, seu Elomar contou que escoltara o cachorro pelo elevador até a porta do meu apartamento uns dias antes. Agradeci, achando estranha demais a disposição dele. Mas desde aquele dia isso se tornou rotina. Era comum o cachorro me acordar arranhando a porta, e ao deixá-lo entrar muitas vezes eu ainda escutava o motor do elevador e imaginava o seu Elomar abrindo a porta lá embaixo e voltando à sua absurda tela de tevê.

Coloquei o quadro na minha sala, em frente ao sofá. Não entendia muita coisa de artes gráficas, mas sabia que aquele velhinho tinha pintado uma das imagens mais fascinantes que eu já tinha visto.

Ela continuou fumando em silêncio, sem roupa, encostada na janela, céu azul e nuvens ao fundo. Eu a observava e pensava numa atriz decadente extraída de alguma música do Leonard Cohen, fazendo filosofia barata pela manhã, capaz de cuspir uma tirada sobre liberdade individual a qualquer instante, num quarto de motel. De fato, eu nunca pedia pra ela voltar. Mas duas, três vezes por semana, ela continuava vindo. Desde que me mudara, uma cópia da chave ficava dando sopa em cima da geladeira, e quando descobriu isso Marcela fez questão de pegar a chave pra si. Aparecia sem aviso quando bem entendia.

Eu entendo o teu desprezo pelo que eu faço, ela balbuciou, quebrando o silêncio. Pode me desprezar, não tem problema. Eu mesma quase me desprezo às vezes. Eu me submeto a coisas horrorosas. Ou tu acha que eu gosto de posar pra fotos? Vivo cercada de outras mulheres que querem me prejudicar, e de paspalhos que querem me levar pra cama como um troféu. Publicitários e fotógrafos nojentos que aparam aqueles cavanhaques ridículos toda manhã antes de sair de casa. Pode rir, é engraçado mesmo. Mas nem tudo é engraçado. Sou tratada como um manequim, uma boneca inflável.

Se é tão ruim, por que tu não vai fazer outra coisa?

Eles me pagam. A cada mês eu ganho mais dinheiro. É assim que funciona. Eu não quero voltar para a faculdade. Não tenho talento para nada. Mas em poucos anos, tu vai ver, eu vou ter muita grana. Vou comprar um carro e um apartamento, vou conhecer o mundo. Tu não pensa em coisas assim? Hein?

Não respondi. Ela veio até o colchão, se deitou do meu lado. Eu acompanhava cada milímetro dos seus movimentos com atenção. Ia perguntar de onde tinham vindo as pequenas marcas arroxeadas que ela tinha nos quadris e nas coxas, mas deduzi a tempo de me calar, olhando pras minhas mãos e flexionando meus dedos.

Sabe qual é o meu sonho?

Qual deles?

O meu sonho principal. Ter uma casinha simples, em algum lugar vazio e bem bonito, como um sítio na serra, ou algo assim.

Tu não ia agüentar morar num lugar desse por mais de um mês, te garanto.

Não, um lugar isolado, mas com luz, algum conforto, só o essencial. Lavadora de roupa, um computador, internet. Tu não gostaria? Não te faz de louco. Duvido que tu realmente queira passar o resto da vida num apartamento vazio como esse. E mesmo que tu queira, de algum jeito vai ter que pagar o aluguel.

Não havia nada de errado com aqueles sonhos, mas eu duvidava que um dia eles pudessem se tornar realidade. Isso eu não dizia pra ela, claro. Mas exatamente quanto da vida ela estaria disposta a sacrificar com um trabalho que a fazia sentir-se humilhada, conviver com gente que não suportava, passar semanas inteiras dormindo mal? Todos os sonhos dela estavam marcados pra dali a três, cinco, dez anos. Nenhum deles valia pra agora, pro dia em questão. Me dava agonia ver alguém se preparando constantemente pra começar a viver. Eu não conseguia fazer isso. Parecia bem mais adequado permanecer exatamente onde eu estava, aceitando que minha vida era aquilo mesmo. Eu não precisava de muita coisa. Gostava de ir à janela do meu apartamento e olhar a cidade lá embaixo. Dezessete andares me separando da civilização, apenas o murmúrio dos carros chegando aos meus ouvidos. Na água do Guaíba e no horizonte, eu enxergava uma tranquilidade ao meu alcance no presente, ali dentro do apartamento. Era só acender um cigarro e esvaziar a cabeça de qualquer expectativa e pronto, eu a sentia. Acabei me viciando nessa tranquilidade. São as expectativas que fodem tudo.

Abracei a Marcela por trás, sentindo o calor das suas costas nuas e o seu cheiro. Momentos antes eu tinha xingado ela por ter aceitado aparecer num anúncio asqueroso de uma companhia telefônica. As agressões saíam da minha boca sem intenção, e isso se repetia muito, sem que eu conseguisse antecipar e evitar os ataques. Eu a provocava apenas pra, em seguida, puxá-la de volta contra mim, movido por um outro impulso involuntário que suscitava em mim o desejo de confortá-la, e nesses momentos eu me odiava por tê-la tratado mal minutos antes, e a idéia de que ela pudesse desaparecer da minha vida, magoada pela minha implicância, me fazia abraçá-la com uma voracidade patética.

E então a gente trepava, quase sempre por horas. Era a única coisa sobre a qual não havia discussão. Toda espécie de comunicação verbal era suspensa. Depois que ela me mostrou o book preenchido de fotos tipo capa de revista, naquela estética repulsiva dos anúncios de grife, pele brilhosa de óleo e colorida de maquiagem, passei a trazer aquelas fotos à imaginação enquanto comia ela. Me excitava o contraste entre a imagem idealizada das fotografias e o corpo de verdade dentro do qual eu enfiava o meu pau, aquele corpo com todas suas falhas e fibras, cheiros doces e azedos, gostos, as secreções e excreções, o sangue, os vírus e fungos, o calor e as reações de dor e de prazer. E muitas vezes terminávamos assim: eu a colocava de joelhos na minha frente e, batendo uma punheta, expulsava toda a porra reservada durante o maior tempo possível no seu rosto, nos cabelos, dentro da boca, ou sobre os peitos, pra que escorresse pela barriga, pelo umbigo, enfim, por tudo. Como descrever a felicidade que jorrava dos olhos dela? Uma felicidade intensa e meio absurda de contemplar, porque eu a humilhava, emporcalhava seus cabelos semanalmente aparados, segurava seu rosto com violência, eventualmente chegava a cuspir nela, e ela sorria. Abusava dela assim porque era necessário destruir, erradicar qualquer resquício da modelo dos anúncios, cobrir com outros cheiros a fragrância enjoada dos xampus, sabonetes e desodorantes. Ela deixava o corpo cair sobre o colchão, ofegante e suada, e espalhava a porra na pele, eu a ajudava, até que a gosma desaparecesse numa película, e então eu a abraçava, igualmente ofegante e feliz, satisfeito com tudo que acabáramos de profanar. Tu é uma puta mesmo, eu dizia entre os dentes, e ela ecoava, sou uma puta. Vadia, vagabunda, essas coisas, a gente brincava com essas palavras, com um sorriso satisfeito. Se eu não dizia nada, ela acabava tomando a iniciativa. Vem, eu sou uma vadia, não vai fazer nada, vai ficar me olhando?

Era por isso que ela sempre voltava, e por isso eu tolerava a sua presença.

Quando vi Marcela pela primeira vez, me pareceu uma mulher completamente fora do meu alcance, decalcada de um pôster de cerveja. A ocasião, se me lembro bem, era a recepção de formatura de algum amigo não muito próximo. No bufê, frutos do mar, comida japonesa, italiana e judaica à vontade. A cada cinco minutos, um garçom se materializava ao meu lado perguntando se eu não queria calibrar minha dose de uísque. Cheguei sozinho e sentei na primeira cadeira que encontrei, numa mesa cheia de gente desconhecida. A Marcela estava sentada na diagonal oposta. Não era a única mulher bonita ali, mas reparei nela porque não estava maquiada. Uma hora eu voltei do bufê com meu prato preenchido por cinco cogumelos gigantes recheados de queijo, e ela riu muito disso. Estava completamente de porre, como eu. Tinha ombros largos, cabelos castanhos quase ruivos, ondulados, e o rosto salpicado de sardas discretas. Quis falar com ela, mas não conseguia pensar em nada pra dizer. Parecia saída diretamente de um comercial de xampu ou de um filme de terror adolescente, uma dessas pessoas que não existem. Levantei e disse que ia buscar mais uns cogumelos gigantes, e ela veio logo atrás de mim, com o prato na mão. Começamos a rir da variedade obscena de comidas do bufê, provando tudo direto das panelas. Bacalhau, camarão com molho de maracujá. Enfiei um chumaço de carpaccio na boca, tanto que não conseguia mastigar, e numa crise de riso ela deixou o prato cair. A louça se espatifou no chão, e resolvemos sair dali pra não causar mais comoção. Caminhamos ao redor da quadra do restaurante. Paramos no jardim de um prédio, ela tentou vomitar, se engasgou, babou, tossiu, mas não conseguiu. Perguntou se eu morava perto dali, queria tomar um remédio pro enjôo, deitar um pouco. Lamentei, dizendo que morava longe e não tinha carro. Ela chamou um táxi.

Não pareceu surpresa com o prédio vagabundo e o apartamento minúsculo onde eu morava. Sentamos no colchão e ficamos conversando, enquanto a bebedeira dela passava.

Não tem quase nada nesse apartamento, ela comentou.

Verdade. Eu tento não acumular coisas supérfluas.

Uma mesa, uma cama, uma tevê, um lustre, não são supérfluos.

Eu sinto falta de uma mesa, devo admitir.

O que tu faz?

Nada especial.

Tá, mas tu trabalha, estuda, algo parecido?

Não mais. Me formei em Letras há três anos e dei aula em um desses cursos falcatrua de inglês, mas eles me demitiram porque faltei muitas vezes. E porque passei em três meses pros alunos um livro didático que deveria durar o ano inteiro.

Por que curso falcatrua? Eu fiz sete anos de curso e falo inglês tribem.

É isso, eles levam sete anos pra ensinar inglês pra alguém.

Ah, então eu sou falcatrua também?

Não foi o que eu quis dizer. E tu faz o quê?

Eu estudava Administração, mas tranquei semestre passado. Trabalho como modelo há dois anos. E não sou falcatrua.

Modelo? Deve ser cansativo, eu disse, evitando elogios a todo custo.

É cansativo, sim. Mas é um trabalho. Quero juntar dinheiro pra viajar.

Hm. Mas tu nem parece muito modelo. Elas costumam ser mais altas e mais magras que tu. E essas sardas.

Eu fotografo mais as mãos, pernas, pés. E foto comercial, nada a ver com passarela. No rosto, as sardas atrapalham um pouco. Mas dá pra tirar com maquiagem. E eu sou mais cheinha que a média, mesmo, mas pra alguns tipos de trabalho serve.

Mãos e pés? Haha.

Quer ver?

Ela me mostrou as mãos primeiro. Perfeitas. Pele lisa, proporção irretocável entre os dedos e a palma. Depois tirou as botas e me mostrou os pés. Até então eu não acreditava nessas coisas, mas aqueles realmente não eram mãos e pés ordinários.

Tu fuma maconha?, ela perguntou, fuçando na bolsa. Maconha só serve pra trepar.

Ela me encarou. Ainda um pouco bêbada, oscilando. Aproximamos nossas cabeças e nos beijamos. Foi assim, bem lugar-comum. Fiz que ela largasse a bolsa, já estávamos na cama mesmo. Tirei sua blusa, expondo o peito, também coberto de sardas claras. Resolvi tirar tudo logo, calça, calcinha. Em todo o corpo dela, como nas mãos, uma harmonia sobrenatural entre ossos e músculos. Perdi minha capacidade de ação, ajoelhei e fiquei olhando, rolei o corpo dela sobre o colchão, levantei suas pernas, coloquei-a de costas, de frente.

Que foi?, ela me perguntou, braba, mas eu continuei atônito.

Aí ela me deu um tapa na cara, forte. Meu rosto esquentou e todo o lado direito da face ficou latejando. Virei a cara de volta à posição original, ela estava me fitando, indignada, com um ódio sincero nos olhos. Vai ficar me olhando ou vai me comer?, disse, apoiada nos braços, o cabelo caindo na cara. Agarrei as duas coxas juntas e ergui suas pernas. Ela estava parcialmente imobilizada, a cabeça espremida contra a parede. Peguei a camisinha na carteira e coloquei, meio contrariado. Eu não tinha nada, e se ela tivesse eu não me importaria, pegaria qualquer doença dela de bom grado. Seus pés estavam bem na frente da minha cara, eram como os pés de uma boneca, tão improváveis quanto todo o resto do corpo. Meus sentidos ainda estavam embotados por todo aquele uísque. Depois de um tempo ela começou a rir, e me afastou. Caí deitado, com as costas doendo, e perguntei qual era a graça.

Sei lá, tu tava parecendo um cachorro, quando eles ficam em cima de uma cadela, parece que tão rindo, sabe. Só faltava a língua de fora.

Eu também ri. Fumamos a tal da maconha e seguimos rindo histericamente por minutos. Me levantei, totalmente grogue, e anunciei que ia lavar o meu pau, o que resultou em nova seqüência de gargalhadas. Quando me deitei de novo, nos abraçamos, movidos por uma cumplicidade esquisita, e dormimos.

Nos domingos eu visitava meus pais. Ultimamente, vinha sendo um domingo sim, outro não. Colocava o despertador e saía de ônibus lá pelas dez da manhã, observando a movimentação sonolenta da avenida Ipiranga. Quinze minutos de viagem, três quadras a pé, e eu chegava à casa onde morei minha vida inteira, até o dia em que me mudei pro apartamento da Duque de Caxias. Eu gostava de ver meus pais, mas pra eles essas visitas eram muito mais importantes. Minha mãe preparava um almoço com cuidado, eu elogiava sempre. Logo depois da comida, eu tomava umas cervejas com o meu pai. O diálogo era o mesmo, com pouquíssimas variações.

Como vai a vida?

Tranqüilo, pai.

E aquele trabalho?

Qual deles?

O que tu falou da última vez. Ia atender no balcão de uma livraria à tarde, não era isso?

Ah, sim. Era uma idéia. Falei com os caras, mas não deu certo, no fim das contas.

Tá precisando de alguma grana?

Não, acho que não.

É?

Ainda falta um pouco pra conseguir fechar o próximo aluguel, mas até a semana que vem eu dou um jeito. Tenho algo mais ou menos encaminhado, já.

Era mentira, claro. Invariavelmente, perto do fim do mês, algumas centenas de reais apareciam na minha conta. Quando declarei que encontrara um apartamento e estava a fim de sair de casa pra morar sozinho, ficou estabelecido que eu assumiria minhas próprias contas, todas. Era o que eu pretendia. Mas não deu certo. Passei um aperto nos primeiros meses, e meu pai deu suas ajudinhas sem protestar. Claro que as ajudinhas prosseguiram, eram necessárias quase todo mês. Não sei o que estava pensando quando achei que poderia me sustentar sozinho. Apenas segui o caminho natural das coisas, como me ensinaram que elas deviam acontecer. Onze anos de colégio, quatro de universidade. Fiz minha carteira de identidade, meu título de eleitor, meu CPF, abri minha própria conta no banco, fiz carteira de trabalho, registro no INSS. Aulas particulares de inglês, três anos praticando remo, carteira de motorista. Segui o roteiro à risca, desde que nasci. Com o diploma de Letras na mão, viajei dois meses pela Europa, gastando economias que tinha desde a adolescência. Na volta, aluguei um apartamento e saí de casa. O nome disso é inércia. Qual o próximo passo? Vamos lá. Conseguir um emprego e ganhar a vida era a continuidade natural desse processo todo. Demorou mais de um ano pra eu perceber que não seria assim. As janelas daquele apartamento eram amplas demais, a vista dos dezessete andares ia demasiado longe. Todos os anos anteriores pareceram uma brincadeira idiota, e não havia nenhuma idéia que me estimulasse pro futuro. Dei aulas de inglês por alguns meses, cheguei a esboçar um projeto de mestrado que não levei adiante, mas com o tempo assumi que naquela fase da minha vida não conseguiria fazer nada. Foi um tanto surpreendente quando encontrei felicidade nisso. Pro meu pai, eu fingia que ainda estava no jogo, mas já tinha desistido. Ele depositava dinheiro pra mim mês depois de mês, e ninguém ousava dar um pio sobre o assunto.

Com freqüência, nessas visitas de domingo, eu lembrava da época em que íamos, meu pai e eu, visitar meu vô Vito. Quando chegou aos sessenta e cinco, cerca de dois anos após a morte da minha vó, o velho vendeu a casa e se mudou da cidade onde vivera desde menino pra uma chácara no sul do estado. O pedacinho de terra ficava numa região íngreme, ondulada por morros cobertos de arbustos e rochas nuas, a três horas de carro de Porto Alegre. Não havia luz elétrica, esgoto nem água encanada num raio de cinqüenta quilômetros. Nas propriedades vizinhas, pequenas famílias de agricultores cultivavam lavouras de fumo e de milho e mantinham criações de gado, porcos, ovelhas e cabritos. No ano anterior à mudança, meu vô fez freqüentes viagens até o sítio com sua caminhonete carregada de material de construção, e numa estreita faixa de terreno plano na encosta de um morro levantou com as próprias mãos uma casinha de tijolos e madeira, coberta de telhas de cerâmica. Derrubou algumas árvores e limpou o terreno ao redor da nova casa.

Queimou o mato e os arbustos, depois retirou os tocos e pedregulhos. Drenou um pequeno charco. Explorou a encosta dos morros ao redor da futura residência e encontrou um olho-d'água permanente, que canalizou até uma caixa-d'água. Mandou cavar uma fossa e construiu um banheiro, com privada e tudo. Quando ficou satisfeito, juntou suas coisas e se tocou pra lá. Nos primeiros meses da nova vida, plantou uma horta pra consumo próprio e adquiriu, além de um cavalo, algumas ovelhas e galinhas, animais que passou a criar e comercializar nos mercados das cidades próximas como fonte de renda. Ganhava algo mais jogando cartas nos bares das redondezas, mas o problema é que perdia quase tudo nos jogos seguintes. Mas as coisas funcionaram pro meu vô. Tudo se deu mais ou menos como ele planejara. Estava decidido a morrer no pequeno sítio que montou em seus últimos anos de vigor físico.

Meu pai e eu o visitávamos de vez em quando no sítio. Nessas ocasiões, ele carneava uma ovelha pro churrasco. Pendurava o bicho amedrontado num galho de árvore, abria o pescoço com a faca e deixava sangrar por alguns minutos. Rachava um talho em cada um dos quatro cascos, depois abria o couro da virilha até o pescoço. Com a lâmina e com as mãos, descolava todo o pelego da carne e, por fim, cortava a barriga e deixava cair o bucho sobre o capim encharcado de um sangue grosso vermelho-claro. Aquele ritual de sacrifício me encantava. Eu o acompanhava de perto. O sangue derramando e o som da carne sendo cortada me causavam um horror quase intolerável, que eu superava com grande esforço. Antes do abate, eu gostava de afagar a ovelha, olhar nos seus olhos, atento à sua respiração.

Tinha a impressão de que ficavam resignadas com seu destino, embora estivessem apenas paralisadas pelo medo. E quando estavam com o pescoço aberto, eu acompanhava a vida escapando-lhes lentamente do corpo, obcecado em identificar o ponto exato em que já não estavam vivas, não estavam mais ali. Aí a tensão desaparecia. Eu tocava o corpo. Já não era uma ovelha. O sangue era absorvido pela terra ou coagulava. Os cachorros devoravam placidamente as vísceras. Meu vô colocava um pernil e uma costela no fogo, a carne ainda quente do calor natural do bicho vivo, temperava com sal grosso, e ele e meu pai iam tomando uns traguinhos de cachaça até que estivesse assada. Comíamos com as mãos, lasqueando a carne com um facão.

Algo mais me fascinava nas idas ao sítio: os cachorros. Eram a única companhia permanente do meu vô. Um era mais corpulento, seus pêlos compridos se emaranhavam em cachos de cor parda. O outro, de pêlo preto, se subordinava ao maior. Se bem me lembro, não tinham nome. Ambos magros, caminhando num trote esquisito, meio desequilibrado. Apesar do aspecto selvagem, eram muito dóceis e medrosos em relação aos humanos. Hesitavam bastante antes de se aproximar de qualquer pessoa, inclusive do meu vô, que eu nunca vi fazer um único afago nos seus dois únicos companheiros permanentes naquele fim de mundo. Depois que venciam o medo e chegavam perto o suficiente pra receber uma coçadinha atrás das orelhas, era muito difícil livrar-se deles. Queriam mais e mais carinhos, e às vezes só um bom tapa no focinho os convencia a se afastarem. Eu intuía a importância que os cães tinham pro meu vô. Ele chegava a dizer que não os trocaria por dois empregados humanos. Estavam sempre alguns metros atrás do velho Vito, escoltando o dono e vigiando o terreno. Os cachorros o seguiam mesmo quando estava a cavalo. Disparavam entre as pedras, correndo distâncias enormes, tirando energia não se sabe de onde. Com meus oito anos de idade, eu os via com uma aura sobrenatural, como animais sobreviventes de uma era remota, seres de outro mundo.

Uma vez meu vô me colocou sentado entre suas pernas na sela do cavalo, e saímos galopando juntos. Os cachorros fizeram escolta por todo o caminho. Atravessamos os cerros até os cantos mais extremos da propriedade e subimos até o topo dos morros. As elevações e vales se alternavam até quase o horizonte, onde se enxergava uma grande planície. Algumas nuvens cor de chumbo, isoladas, despejavam chuva sobre pequenas porções da paisagem, mas ao redor delas o céu era de um azul ardente. Perguntei pro meu vô se ele não cansava de ficar sozinho lá.

Demora muitos anos pra gente descobrir o que é estar sozinho de verdade, ele me respondeu. Pode ser difícil de acreditar pra ti, mas eu não sinto solidão aqui. Tu nunca te sentiu sozinho morando em Porto Alegre?

Me lembro das frases exatas. Lembro como entendi o que ele queria dizer. Imaginei se sentiria mais ou menos solidão caso morasse num fim de mundo como aquele. Talvez fosse sempre a mesma coisa.

Algum tempo depois, meu pai me contou que os cães estavam mortos. Meu vô suspeitou que eles tinham atacado as ovelhas. Não tinha certeza, mas não podia mais confiar neles. Podiam atacar um cabrito de algum vizinho, ou ele próprio. Mesmo sem certeza, sacrificou os cachorros. Preferia ter dado um tiro em suas cabeças, mas estava sem munição pra espingarda, então enforcou um dos cães e decidiu manter vivo o outro. Pra garantir, deu-lhe uma tremenda surra, tão bem dada que o bicho ficou débil, mal conseguia caminhar e não obedecia mais a nenhuma ordem. Depois, por pena, acabou enforcando esse também.

Meu pai já estava aposentado fazia um ano quando eu saí de casa. A vida inteira escutei minha mãe e ele dizendo que, assim que se aposentassem e se livrassem de mim, mudariam pro campo, pra uma casa bonitinha, isolada de tudo. No fim das contas, acho que eles não conseguiram juntar dinheiro suficiente, porque permanecem na mesma casa. Quando meu vô morreu, meu pai quis manter o sítio, mas depois de muita briga com meus tios, a terra acabou sendo vendida.

Cheguei a ensaiar um discurso pras visitas de domingo, no qual diria a eles que se livrassem mesmo de mim, parassem de me dar dinheiro, mudassem pro interior e esquecessem que eu existo. Que me deixassem sozinho naquele apartamento, que de um jeito ou de outro eu saberia me virar. Os domingos se sucederam, e, é claro, eu nunca disse porra nenhuma.

Eu tinha comprado o jornal só pra ver o tal anúncio da companhia telefônica no qual a Marcela tinha trabalhado. Página dupla. A propaganda era sobre um serviço no qual o usuário ganhava descontos nas ligações de celular pra determinados números a sua escolha. Algo do tipo "pague mais barato para falar com seus amigos". O anúncio, dirigido ao público jovem, mostrava um grupo de amigos numa praia. Dois surfistas musculosos de sunga e três minas gostosas de biquíni, alinhados diante do mar com grandes sorrisos no rosto e cabelos impecavelmente penteados. Os modelos estavam posicionados lado a lado de modo a substituir simbolicamente os algarismos de uma cifra em dinheiro, antecedidos à esquerda de um grande R maiúsculo e de um cifrão, e separados por uma grande vírgula sobre a areia. A Marcela estava do lado esquerdo da vírgula, usando um biquíni verde, cabelos esvoaçantes, maquiada, saudável, feliz, enroscada num sujeito que segurava uma prancha debaixo do braço. A mensagem por trás daquilo seria algo como "converta suas amizades em dinheiro". Era sem dúvida um dos anúncios mais retardados que eu já tinha visto. A Marcela não parecia ela mesma debaixo do pôr-do-sol retocado em Photoshop. Arranquei as folhas e botei fogo no anúncio com o meu isqueiro. As chamas puseram o cachorro em estado de alerta. Que merda, hein, Churras?, eu disse, brandindo a folha de papel flamejante perto do focinho dele. Começou a latir, como fazia sempre que eu o provocava. Deixei o jornal queimando no chão e saltei pra cima do cachorro. Ficamos lutando no assoalho por alguns minutos, até que ele se cansou e escapou pra cozinha, me deixando sentado no meio da sala.

    Peguei o que sobrou do jornal e comecei a folhear. A mesma coisa de sempre. A cada três dias, as notícias se repetem. Dólar subiu ou desceu, o país fez um empréstimo internacional pra tranqüilizar investidores, alguém foi assassinado, um grave acidente de carro nas estradas, cientistas especulam que algo poderá ser a cura de alguma doença, tal coisa causa câncer, algum time de futebol ganhou de outro, e tudo continua na mesma. Eu conseguia pensar em dezenas de coisas mais relevantes que aquelas. Meu estômago, por exemplo, voltava a doer. Fiquei uma semana evitando álcool e comendo arroz integral, e mesmo assim as pontadas no abdômen persistiam; eu já estava de saco cheio. Abri a carteira, me certificando de que ainda tinha o cartão do plano de saúde. Adiei quanto pude, mas agora não dava mais, precisava ir a um médico. Peguei um outro caderno do jornal. Classificados. Carros. Lixo. Informática. Lixo. Imóveis. Lixo. Empregos. Hm. Dei uma folheada. Talvez fosse a hora de fazer mais uma tentativa de trabalhar. Quem sabe agora tentar uma coisa diferente, um trabalho mais braçal, mecânico. Entregador de gás, pedreiro, manutenção de piscinas, algo assim. Anotei as informações de um concurso dos Correios. Carteiro parecia ser uma boa. Caminhar e entregar cartas. O salário era decente. Mais adiante, encontrei umas ofertas um pouco mais realistas. Uma vaga de revisor em uma agência de publicidade, e outra de tradutor numa firma de traduções. Anotei os contatos e atirei o jornal no lixo.

Saí pra dar uma caminhada pelo centro, e aproveitei pra levar o cachorro pra rua. Disparou lomba abaixo, decerto rumo às proximidades da Usina do Gasômetro, aonde ele gostava de ir pra procurar cadelinhas no cio e arranjar brigas com outros cães. Caminhei por umas duas horas, por pura falta do que fazer. No retorno, perto de casa, puxei uma cadeira no meu botequinho favorito e pedi uma cerveja, mas as dores de estômago me fizeram cancelar o pedido a tempo. Após cinco minutos sentado, resolvi mandar à puta que pariu e baixei a ceva. Gelada, perfeita. Quando eu fosse no médico, ele provavelmente me proibiria de comer e beber oitenta por cento das coisas que existem, então decidi aproveitar enquanto ainda podia dar desculpas a mim mesmo.

Quando cheguei no prédio, o cachorro estava me esperando pra subir, todo faceiro. Uma das orelhas retalhada, a boca e a língua também feridas. Toda a sua cabeça estava decorada com crostas escuras de sangue seco. Gostava de brigar, o safado. Às vezes eu o seguia pela rua e o flagrava mordendo outros cães vadios, só pela farra. Isso o deixava excitado e contente, voltava pra casa com o orgulho de um lobo, lambia as feridas e dormia. Entramos no prédio. Passava da meia-noite, pois seu Elomar já estava na cadeira de couro da portaria, de olho no borrão luminoso da sua tevezinha. Quando me aproximei da porta do elevador, ele se virou pra mim.

Aquela moça que costuma te visitar subiu faz uns vinte minutos.

A Marcela?

É esse o nome dela?

É.

Espera aí só um pouquinho, ele disse, e abriu um jornal sobre a mesa da portaria. Por acaso...

Sim, eu interrompi, antes que ele encontrasse o anúncio. É ela na propaganda do jornal.

Ah, eu sabia. Manda um parabéns pra ela, ficou muito bonita na foto. O que aconteceu com a perna dela?

Perna?

Ela estava com a perna enfaixada.

O elevador chegou, me despedi do seu Elomar e subi. A porta do apartamento estava destrancada. Abri e dei de cara com a Marcela sentada no sofá, choramingando, a perna direita enfaixada na altura do joelho e estendida sobre a minha cadeira. Ela me olhou como se pedisse desculpas por estar ali. Sentei ao lado dela, passei a mão no seu cabelo. O cachorro observava de longe, curioso.

O que aconteceu?

Fui atropelada por uma moto.

Como?

Eu tava saindo do médico, fui atravessar a rua e não prestei atenção, um motoboy veio voando perto do fio da calçada e me acertou...

Médico?

... e eu caí no chão, aí encheu de gente em volta, e eu não conseguia caminhar, e me fizeram ficar deitada na rua até uma ambulância chegar, eu queria me levantar porque precisava ir no estúdio de um fotógrafo que quer me fotografar pra uma revista, mas não me deixaram levantar do asfalto, aí me levaram pro pronto-socorro e tiraram radiografias, e eu precisava ter ido na farmácia comprar um antibiótico, mas esqueci e aí eu peguei um táxi e vim pra cá, mas...

Pára, pára, uma coisa de cada vez, tchê. Antibiótico?

Olha a minha garganta, ela disse, fungando. Abriu a boca e me mostrou as amígdalas inflamadas. Só então percebi que ela suava e tremia de febre.

Desculpa eu ter vindo pra tua casa, ela disse, mas não queria ficar lá no meu apartamento.

Tudo bem, vem cá, vamos sair daqui, deita na cama.

Meu joelho tá doendo.

Te apóia em mim.

Deitei a Marcela na cama. Quando ela parou de chorar, mexi na sua bolsa e encontrei a receita do médico. Pedi pra ela assinar um de seus cheques e fui na farmácia comprar os antiinflamatórios e antibióticos caríssimos. Voltei e a fiz engolir os comprimidos. Marquei o despertador paraguaio pra dali a oito horas e coloquei do lado da cama.

Cuida de mim, ela pediu.

Cuido. Quer que eu ligue pros teus pais?

Não. Tira a minha roupa.

Tirei, e comecei a cobrir ela com o cobertor, mas ela me puxou pra cima.

Eu quero agora.

O quê?

Sexo. Me come agora.

Não viaja, guria. Tu tá morrendo de febre.

Agora.

Não.

Por favor...

Coloquei a mão entre suas pernas e fiquei brincando um pouquinho. Como eu previa, ela se contorceu e resmungou mais um pouco, e acabou adormecendo.

Acendi um cigarro, sentei no chão do quarto e fiquei observando a Marcela dormir, o rosto avermelhado, a boca expelindo um hálito de garganta inflamada. Tão oposta à figura daquele anúncio. Por um instante, imaginei como seria se ela viesse morar comigo, mas rejeitei a idéia rapidamente. Mesmo com as visitas ocasionais, era comum eu acordar perto do meio-dia depois de uma noite inteira de fodelança e desejar profundamente que ela não estivesse do meu lado, dormindo na minha cama. Não é que eu não gostasse dela. Eu gostava, até demais. Mas a idéia de que pudéssemos ter um relacionamento, como se diz, me causava repulsa. No entanto, agora que ela tinha me procurado como refúgio depois de tudo que acontecera naquele dia, eu sentia que uma barreira qualquer tinha sido quebrada. Ela doente, chorando no meu ombro, eu dando comprimidos em sua boca, preocupado com seu estado. Tive vontade de estar com ela quando foi atropelada, pra poder cagar a pau o filhadaputa do motoboy. Com os pais em Caxias do Sul, em Porto Alegre ela só tinha a mim pra pedir apoio. Eu não tinha certeza se essa idéia me agradava. Mas desisti de pensar nessas coisas, apaguei as luzes do apartamento e me deitei do lado dela. No momento eu tinha alguém pra proteger, e isso era novo.

Campainha chiando na manhã seguinte. O cachorro latia. Visitas eram realmente muito raras. Levantei da cama com cuidado pra não acordar a Marcela, vesti uma cueca, conferi o despertador. Quinze pro meio-dia. Dor no estômago, mistura de fome e da úlcera que eu provavelmente tinha.

Abri a porta. O alemão de um metro e noventa, com a cara cheia de marcas de uma adolescência espinhenta, me olhou com uma certa aflição.

Oi, a Marcela mora aqui?

Era uma pergunta complicada. Fiquei pensando um bom tempo antes de responder. O sujeito esperava com desconforto uma manifestação minha.

Mora, no momento. Quem tu é?

Meu nome é Lárcio, eu atropelei ela ontem. Queria saber se ela tá bem.

Franzi a testa, confuso.

Como tu veio parar aqui?
Ela me deu o endereço.
Ela disse que morava aqui?
Disse.
Deixa eu ver se entendi, tu passou com uma moto em cima dela, e ela te deu o endereço do meu apartamento, dizendo que morava aqui?
Eu fui no pronto-socorro pra ver como ela estava, fiquei esperando enquanto fazia os exames. Conversamos um pouco quando ela saiu.
Ela tá dormindo. Tá doente.
Depois que eu disse isso, ele ficou imóvel, sem reação. Estava constrangido. No momento do acidente eu teria tentado bater nesse cara, mas agora que estava na minha frente, além de mais alto e mais forte que eu, ele me parecia gente boa pra caralho. Tinha uns olhos azuis meio infantis, e estava realmente preocupado. Me dei conta de que eu estava só de cueca, com a cara ensebada de sono. Disse pra ele entrar. Ele entrou, enquanto era inspecionado pelo focinho do cachorro.
Senta no sofá, falei. Vou botar uma roupa e fazer um café. Tá a fim de um café?
Nah, valeu. Vou almoçar em seguida, na real. Que troço louco, esse quadro na tua parede.
Expliquei que tinha comprado a tela do porteiro do prédio, e ele ficou fazendo uns comentários de maconheiro enquanto eu vestia uma calça e uma camiseta no quarto. Pedi pra ele contar como tinha acontecido o acidente. Nada fora do comum. Estava ultrapassando os carros rente à calçada, se distraiu, e era tarde demais pra frear quando viu aquela guria dando um passo em direção à rua, igualmente distraí-

da. Desviou como pôde, mas se chocaram, a moto já em baixa velocidade. Como tudo na vida tem seu detalhe bizarro, ele me contou que se distraiu ao avistar um japonês gordo que caminhava na calçada, diante das vitrines, carregando uma garrafa térmica numa mão e um cachorro daqueles lingüicinha no outro braço. O que ele mais se lembrava era desse gordão de olho puxado. Eu também me distrairia, disse a ele, solidário. Mas tentei fazê-lo admitir que também tinha culpa, só pra não sair de graça. Vocês motoboys vivem batendo nas coisas e nas pessoas, vocês correm demais. Ele se defendeu, dizendo que o serviço exigia. Depois completou que, na verdade, gostava de acelerar a moto. Não adiantava, era vício, prazer.

Antes de ir embora, Lárcio convidou a mim e Marcela pra jantar na sua casa no sábado à noite. Explicou que queria se redimir, teve essa idéia da janta. Ou melhor, fora idéia da namorada dele. Eu estava abrindo a boca pra recusar aquele convite absurdo, mas a Marcela surgiu na sala enrolada num lençol, tentando imprimir um sorriso no rosto sonolento e inchado, dizendo que sim, que iríamos, obrigada, Lárcio. Era como se fossem amigos íntimos. Eu desisti de entender. Apenas confirmei, pode crer, estaremos lá no sábado, tchau. Ele saiu, fechei a porta, a Marcela deitou no sofá, dizendo Legal esse cara, né? Concordei com a cabeça, num gesto automático.

Ele ficou me esperando lá no hospital ontem, ela esclareceu, notando minha incompreensão. Tava preocupado comigo, achou que tinha destruído a minha perna. Comprou uma lata de Coca e me botou num táxi depois. Ele tem aqueles olhinhos azuis, fiquei com peninha dele.

Pra mim era suficiente. Eu tinha um exame pra fazer às duas e meia. Meu estômago estava me matando, e tinha chegado a hora de enfiar uma câmera pela minha goela para dar uma espiada no que estava errado. Não esquece dos remédios, eu disse pra Marcela. E não inventa de sair daqui.
Como tá a garganta?
Uma merda, ela disse, a voz abafada pela dor. Mas preciso sair à tarde.
Nem pensa nisso.
Preciso.
Fazer o quê?
Não respondeu. Me aproximei e beijei-a na boca. Ela me empurrou.
Sai. Vai fazer teus exames e me deixa aqui. Eu sou uma moribunda.
Marcela, me escuta: tu não pode sair dessa cama hoje, doente e quebrada desse jeito.
Tá bom.
Saí. Dois ônibus até a clínica. O ar estava denso, carregando um odor de poluição. A umidade formava uma névoa sólida ao redor da cidade. Um estremecimento irrompeu na minha barriga e subiu pro peito, como uma injeção de adrenalina. As palmas das minhas mãos suavam, e tive vontade de mijar. Eu era jovem demais pra ter uma úlcera. Se a dor não estivesse me tirando do sério, nunca me submeteria a essa merda de exame. Na sala de espera da clínica, duas senhoras e um homem também aguardavam atendimento. O silêncio total me deixou ainda mais apreensivo. Salas de espera nos obrigam a pensar que vamos morrer, e por mais edições antigas de revista *Caras* que tu fo-

lheie, não conseguirá abafar a consciência de que há uma parte do teu organismo se deteriorando, de que teu corpo é temperamental e pode simplesmente se rebelar contra ti, e de que agulhas e químicos e instrumentos de metal serão enfiados em locais desagradáveis causando dores e muito dinheiro será gasto pra que as coisas voltem temporariamente ao normal, pra tentar resgatar aquela ilusão de que o corpo é um veículo sob o nosso controle. Me deram um avental pra vestir. A sala do exame era gelada, e o médico cheirava a suor. Me anestesiaram e disseram que eu ia adormecer. Quando acordei, era como se tivesse sonhado os sonhos de dez ou vinte noites dentro de uma só, consegui segurar algumas imagens e lembranças por alguns segundos, mas logo a realidade invadiu minha consciência e expulsou todos os fragmentos de sonho, lembrei que eu estava na clínica, identifiquei a presença de uma enfermeira, e os dez ou vinte sonhos em um estavam perdidos pra sempre. É impossível lembrar de sonhos, balbuciei, tem gente que diz que lembra, mas é mentira. A enfermeira sorriu compreensiva. Tanta bobagem que já deve ter ouvido de pacientes despertando da anestesia. Parece uma gastrite, ela disse. Nada de úlcera por enquanto. Hm-hm. Marcar consulta com um gastroenterologista. Sim, sim. Minha percepção ainda estava um pouco distorcida, os músculos letárgicos. Saí da clínica, caminhei duas quadras, sentei num bar e bebi três garrafas de cerveja, com intervalos de dez segundos a cada gole. O estômago vazio, a garganta irritada, me embebedei rapidamente. Agora sim, agora vou voltar pra casa. Agora pode chover. E choveu mesmo. Passava do meio da tarde, e um temporal filhadaputa caiu sobre a cidade. Corri pra uma parada de ônibus, uns trinta metros na chuva e eu já estava encharcado. Comecei a soluçar, e cada soluço causava uma dor leve abaixo do peito. Dentro de uma hora eu estaria em casa, pensava, era só isso que eu queria. Acendi um cigarro e meu ônibus chegou depois da segunda tragada. Rios de água escurecida deslizavam pelas sarjetas. Bueiros se abriam por toda parte, o asfalto gretava. A noite chegava mais cedo devido às nuvens grossas. O trânsito parou, e naquela mistura de crepúsculo, temporal e noite, as lanternas vermelhas dos carros e as luzes verdes dos semáforos brilhavam com uma intensidade fora do comum, um bonito festival pros meus sentidos ainda atordoados pela anestesia. Os pedestres se protegiam como era possível, guerreando com guarda-chuvas, se amontoando debaixo de marquises e paradas de ônibus, alguns poucos enfrentando a chuva com a resignação de quem sabe que vai se molhar de qualquer jeito. Centenas de estranhos que não significavam nada pra mim, mas observá-los pela janela embaçada me dava uma comoção esquisita. Então me dei conta de que chegaria em casa e não estaria sozinho, a Marcela estaria lá, deitada no meu colchão de casal, doente, e isso me trouxe um inesperado entusiasmo. Queria chegar ao meu apartamento como nunca quis antes, fazer um café, olhar os relâmpagos através das janelas largas, conversar com ela, me enrolar no cobertor ao lado do seu corpo quente de febre e esperar. Atravessei o saguão do prédio aos saltos, contabilizei com impaciência a passagem de cada andar, girei a chave na fechadura, e ao abrir a porta percebi imediatamente o vazio. Fui pro quarto, só pra confirmar o que já sabia. Ela tinha ido embora. Tirei minha roupa molhada e acendi um cigarro. Fiquei andando pelado pelo apartamento, trocando olhares com o cachorro, que se agitava a cada trovão. Jogada com força pelo vento contra as janelas, a água atravessava frestas e ranhuras e escorria pelas paredes, formando poças no piso. Joguei toalhas e panos de cozinha no chão pra minimizar o estrago. Não se via o Guaíba, não se via nada do lado de fora, tudo cinza, cinza, cinza. Eu sentia frio e resolvi tomar um traguinho. Tirei a garrafa de cachaça mineira do congelador, minha favorita, que comprava no mercado público. Engrossado pela baixa temperatura, o líquido dourado escorreu pelo gargalo, um caldo leitoso, pra dentro do copo de vidro. E bebendo, fumando, respirando fundo e observando a chuva, fui me livrando vagarosamente da agitação em que me encontrava, me concentrando até alcançar aquele estado vegetativo que sempre me trazia tranqüilidade.

Ninguém mais tem filhos hoje em dia. No entanto, ali estava o Lárcio com seu gurizinho de dois anos e meio de idade na garupa. Uma miniatura de ser humano, vestindo miniaturas coloridas de tênis, meias, camiseta, calças. A namorada do Lárcio se chamava Ana, uma morena coxuda que, assim como ele, parecia não se preocupar com nada, nunca. A pequena mesa de fórmica da sala estava cuidadosamente arrumada com talheres baratos, pratos de vidro arranhados, uma toalha branquíssima e temperinhos. Um microsystem no canto da sala tocava reggae, bem baixinho. Perguntei se podia fumar. Pode. Quer uma cerveja? Quero. Lárcio desceu o gurizinho de suas costas e foi pra cozinha. A Marcela encarava a criança com uma mistura de curiosidade e catatonia. Olhava o menino de frente, mas seu olhar parecia fixo em algum ponto da atmosfera logo atrás dele. Ana voltou da cozinha junto com o Lárcio, ele trazendo latas de cerveja pra todos, ela com um pratinho cheio de pedaços de uma coisa branca que o piá, sentado no chão, começou a devorar. Respondendo à pergunta que não cheguei a fazer, Ana explicou que era palmito. Ele adora palmito, nem sei quando comeu isso pela primeira vez, mas há alguns meses fica pedindo "pa-mito" todo dia, sou obrigada a comprar no súper, custa uma nota mas ele gosta, não consigo deixar de comprar. Perguntei o nome do guri, ela disse que era Luca, assim mesmo sem S, Lárcio sublinhou prontamente. Eu disse que era um nome bonito. A Marcela abriu sua cerveja e a deixou escorrer garganta abaixo num gole demorado, ela estava tomando antibióticos ainda, mas decidi que não falaria nada a respeito, que fizesse o que bem entendesse. Levantei pra ir ao banheiro. Na parede do corredor havia um quadro de cortiça cheio de fotos e bilhetinhos. Os protagonistas eram Lárcio, Ana e a moto, dispostos em diferentes cenários — campings, praias, estradas da serra, cânions, Rio de Janeiro, algum lugar com neve e cidades que não consegui reconhecer. Em algumas das fotos também estava Luca, enfiado numa espécie de bolsa marsupial de brim do macacão do Lárcio ou sentado num lençol estendido na grama, ao lado da mãe, brincando com pequenos objetos — um graveto, uma bola de tênis velha, um besouro inofensivo — que só podem ter algum interesse pra seres humanos de um ou dois anos de idade, que ainda não se acostumaram com nada. O banheiro era tão limpo e organizado que me senti obrigado a secar com papel higiênico um quase imperceptível respingo de mijo que deixei na borda do vaso. Voltando à sala, senti com mais nitidez o cheiro da comida que era preparada na cozinha. Nada de mais, macarrão com um molho de queijos, ou algo assim, dissera Ana, que levantou o Luca no ar e anunciou que era hora dele dormir. Ele balbuciou algo, mas deixou-se levar no colo até o quarto, sem choro, sem manha, sem nada dessas coisas que as crianças fazem.

A Marcela estava um pouco pálida. Usava um vestido lindo, azul com enfeites brancos na saia, justo no corpo, e tinha se arrumado pra ocasião. Na posição em que estava, ficavam visíveis diversos hematomas em suas pernas, e o joelho enfaixado. Passara de táxi no meu apartamento pra me buscar, uma hora antes. Agora ela já não tinha mais febre, mas era visível que não estava muito bem. Sorria espontaneamente enquanto conversava, não parecia preocupada com horários de testes ou com a falta deles, e isso era bom. Ainda assim, o seu ânimo usual parecia contido por uma seriedade que não era comum nela.

Não se falou sobre o acidente, era como se não tivesse existido, embora fosse ele o único motivo concreto pra estarmos os quatro reunidos, conversando sobre programas de televisão e esperando um molho ficar pronto no fogão. Eu devia estar impaciente, mas, contrariando minhas próprias expectativas, estava gostando daquilo. A janta foi servida. O molho de queijo até que era bom, apesar do sabor repelente de glutamato monossódico que impregna todo tipo de comida pronta. Bebi rápido demais, movido por um desejo adolescente de mostrar que era bom de trago, mas não cheguei nem perto do Lárcio, que fazia desaparecer o conteúdo de latinhas de ceva como se fossem potinhos de Yakult.

Assim que terminamos de comer, o Lárcio foi ao quarto e voltou com uma chaura descomunal entre os dedos. Nem perguntou se a gente tava a fim, se curtia um fumo, nada disso. Sem demora, tocou fogo na ponta daquele camarão e foi tragando como se fosse mais um dos seus cigarros, enchendo o pequeno apartamento de fumaça leitosa. A Ana e a Marcela deram seus pegas com igual desenvoltura, e eu, não conseguindo pensar em nenhuma razão pra não imitar os outros, fumei também, ainda que maconha só me dê sono.

Havia uma televisão e um videocassete acomodados sobre um pequeno móvel de madeira, em cuja base existia um compartimento cheio de fitas VHS. Me aproximei pra conferir os filmes. Eram fitas usadas, compradas de locadoras. Tinha umas obviedades, como *Pulp fiction* e *Sociedade dos poetas mortos*. E eis que encontro um troço inesperado ali no meio. Uma fita bem castigada, mofada, de *Meu ódio será a tua herança*. Mostrei pro Lárcio.

Esse é um dos meus filmes favoritos.

Eu curto esse filme às ganha também, disse o alemão com a cara vermelha, prensando fumaça.

Me deu vontade de arranjar um videocassete e uma tevê, agora.

Véio, e aquela cena do final? O cara aquele, como era o nome do líder do bando... Pike?

Isso. É o William Holden.

Pois é, o neguinho leva duzentos tiro, morre, e continua com o dedo no gatilho daquela metralhadora, fuzilando os mexicano.

O cara era fudido na lança.

Mas quer saber qual é o meu filme favorito aí?, perguntou o Lárcio, passando o beque pra Ana e se levantando. Meteu a mão no meio das fitas e tirou uma que mostrava um cu arregaçado na capa. O título era *As melhores bundas do pornô 2*. Houve um breve momento de histeria, e o Lárcio perguntou se não queríamos ver o filme.

A Marcela deu um gritinho de sim!, subitamente saltitante. Eu e a Ana hesitamos por um instante, trocando um daqueles olhares de quem mal se conhece, mas também aceitamos a idéia. E por mais de uma hora ficamos os quatro sentados em almofadas no chão, bebendo cerveja gelada e fumando beque, e assistindo a uma seqüência atordoante de atrizes pornôs dos mais diversos quilates sendo enrabadas por uma fauna diversificada de homens com paus gigantes, fazendo piadinhas pra atenuar o constrangimento, rindo e botando defeito no corpo e na performance dos atores. A Marcela, tão discretamente quanto possível, alisava o meu pau com uma das mãos e segurava a lata de ceva com a outra, os olhos brilhantes fixos na tela. E eu imaginava que improvável cadeia de circunstâncias teria nos reunido ali, com Ana e Lárcio, o motoboy que atropelou a Marcela na rua porque se distraiu com um japonês gordo que carregava um dachshund no colo, e que súbita intimidade nos permitia assistir aos risos, lado a lado, àquele festival de sodomia. São raros os momentos de alegria tão pura quanto aquela. Eu ainda estudava a possibilidade de haver algo mais subentendido na situação, algo como Lárcio e Ana tirando a roupa e pulando pra cima de nós, mas não era o caso. Nos divertimos muito enquanto a Ana verbalizava suas impressões sobre cada cena.

Ah, se tem uma coisa que eu não consigo aceitar é isso aí!
O quê?
O cara tira o pau dali e vem a outra e chupa, na hora!

Qual o problema?, provoquei.

É, qual o problema?, sublinhou o Lárcio.

Ah é, disse Ana, indignada, pro namorado, se tu acha que é tão normal, enfia o dedo no rabo e mete na boca depois.

Eles são profissionais.

Mas essas minas cagam como todo mundo.

O pau dos caras sai limpinho, pode ver. Elas se lavam antes.

Como?

Sei lá, água, sabão.

Tá, mas láááá dentro?

Em vez de responder, o Lárcio levantou a mão e pediu silêncio. Abaixou a televisão, como que atento a um ruído em algum lugar da casa.

Que foi?, perguntou a Ana.

Acho que ouvi o Luca chamando.

De fato, instantes depois ouviu-se um mãããe vindo do quarto. Ana se levantou e, séria, foi ver o que ele queria. Lárcio desligou o videocassete. Eu, bêbado, perguntei pra ele como aconteceu o lance do filho.

Lance do filho?

É, tipo... vocês dois planejaram isso?

Ah, não, ele disse tranqüilamente. Foi inesperado.

A essa altura eu já tinha me arrependido de ter feito a pergunta. Na verdade, ela saiu da minha boca sozinha, eu nem estava pensando no assunto.

A Ana voltou, e comentou apenas que o som da televisão estava um pouco alto demais. Depois daquilo, parecia não haver mais assunto pra conversa. Ainda ficamos lá mais um tempo, até a cerveja acabar. Agradecemos a janta e todo o resto. Cumprimentei o Lárcio, sua mão enorme apertou a minha com uma força impressionante, e combinamos vagamente sentar num bar pra beber e conversar novamente uma hora dessas.

Chamamos um táxi pelo telefone, e enquanto descíamos as escadas a Marcela se apoiou em mim, não um apoio de carinho, mas um apoio de quem de fato precisa de apoio pra não se encostar nas paredes nem cair no chão. No táxi, ela adormeceu. Não me parecia nada bem. Mais tarde, no apartamento, sugeri que tirasse uma folga daquelas coisas que ela fazia. Era obcecada demais em guardar dinheiro, em ter dinheiro pra isso e pra aquilo no futuro, mas porra, tem que dar um tempo. E se a gente fosse pra uma praia em Santa Catarina? O pai dela não tinha um sítio, nada parecido? Mas ela já tinha adormecido, de roupa mesmo, e eu falava sozinho.

Não consegui dormir. Assim que deitei, meu estômago foi doendo mais e mais e mais, e eu só tinha conseguido marcar o médico pro final da semana seguinte com aquela bosta de plano de saúde. Tinha vontade de beber muito pra me anestesiar, mas só de pensar em ingerir qualquer coisa vagamente alcoólica eu já me imaginava estrebuchando sobre o piso da sala, com uma hemorragia interna, babando sangue, que o Churras lamberia da minha boca e do chão depois que tudo estivesse acabado. Revirei o banheiro e os bolsos da calça em busca de analgésicos, encontrei dois comprimidos e tomei os dois ao mesmo tempo. Só fizeram efeito depois de uma hora, e então eu já não tinha mais sono. Fiquei à beira da janela, ora em pé, ora sentado no braço do sofá, acendendo cigarros a intervalos irregulares, soltando a fumaça na brisa da noite, que chegava àquela altura trazendo o cheiro do asfalto morno e das calçadas mijadas. Me debrucei sobre o parapeito por alguns minutos, ficando alguns centímetros mais próximo dos telhados encardidos e dos letreiros em neon dos hotéis baratos que circundavam o prédio.

Era uma questão de equilíbrio. Um leve impulso e eu estaria morto, depois de alguns segundos de emoção intensa. Meu corpo se acoplaria a um dos telhados, quem sabe no meio do caminho eu ainda desse de paleta na quina de uma parede. O exercício de imaginação me divertia. Não posso conceber alguém que nunca tenha imaginado, com uma curiosidade regozijante, a própria morte.

Eu ouvia a Marcela roncando no quarto. Nos últimos tempos, sorrateiramente, os sonhos dela pro futuro passaram a me incluir. Vamos fazer isto aqui, vamos morar não sei onde, vou te comprar não sei o quê. Eu ficava irritado quando ela falava nesses termos, desdenhava das idéias dela, insistia que pra mim as coisas estavam mais do que boas.

Semanas atrás a gente trepou aqui na sala, ela debruçada nessa mesma janela, eu por trás. Bêbados os dois, ela disse que tinha medo de cair, de que as pessoas nos olhassem dos prédios vizinhos, e eu também tinha, mas é claro que isso só deixava a coisa ainda melhor. Eu não conseguia gozar por causa do álcool, e eis que de repente já nem estávamos prestando atenção na foda, ela começou a falar algo sobre um teste que tinha feito, que tinha sido engraçado, eu respondi e fomos conversando, continuamos transando apenas como alguém ficaria batucando numa mesa, e lá pelas tantas ela veio com o papo recorrente de que ter um emprego ou algum projeto qualquer me faria bem, ao que eu dei a resposta de sempre, que não tenho interesse nenhum em projetos, e depois de uma breve discussão ela me vem com essa, O que é a vida pra ti, afinal? Eu teria rido da pergunta, mas o clima e a ocasião pediam uma resposta, e então pedi a ela que imaginasse quando o homem ainda era um macaco, ela disse tá, agora imagina antes disso, os animais cada vez mais rudimentares, a evolução ao avesso, os répteis, anfíbios, peixes, aqueles caranguejinhos pequenos que existem até hoje, moluscos, tá, imaginei, agora imagina os seres microscópicos, protozoários, bichinhos unicelulares que se dividem no meio, tá, agora imagina o caldo primordial, quando o planeta ainda era uma bola de enxofre fervente, imagina o exato momento em que, pela primeira vez, motivadas pela alta pressão e temperatura, algumas substâncias químicas inorgânicas se combinaram formando um aminoácido que, por razões aleatórias, era capaz de se replicar, tá, agora volta mais ainda, imagina as partículas que formam essas substâncias químicas, os átomos, os prótons e os elétrons e nêutrons e a grande quantidade de vazio de que eles são formados, tá, agora imagina os quarks, aquela coisa ainda menor que forma todo o resto, tá, oquei, pode parar aí no quark, agora mentaliza bem ele e vai se afastando, pensa no átomo, nos aminoácidos, nos protozoários, nas amebas, nos cachorros, nos seres humanos, no planeta Terra, sistema solar, na nossa galáxia, nos milhões de outras galáxias, vai se afastando cada vez mais, até que as próprias galáxias sejam partículas insignificantes dançando no meio do nada, e agora te afasta mais um pouco. Imaginou? Pois eu acho que isso dá uma boa idéia do que é a vida.

 E eis que, de lembrança em lembrança, de cigarro em cigarro, amanheceu, e eu não tinha pregado o olho. Era domingo, e eu devia visitar meus pais. Acordei a Marcela rapidamente pra avisar que estava saindo. Ela queria ir junto, mas eu não deixei. Disse pra ela dormir mais, tua cara tá horrível, ela tentou reclamar mas apagou de novo.

 Após o almoço, quando sentamos na sala pra tomar a cervejinha de sempre, que recusei porque meu estômago parecia estar realmente acabado, meu pai disse que não ia mais me dar grana pra pagar o aluguel do apartamento. Tinha se dado mal numa aplicação e perdera muito dinheiro, ele e a mãe estariam apertados provavelmente por alguns meses. Era pra eu dar um jeito de arrumar um serviço qualquer. Eu disse que não tinha problema. Que já tinha entrado em contato com um escritório de tradução e mandado currículo pra uma vaga de tradutor. Era mentira. Isso era o que eu pretendia fazer no dia seguinte, e foi sorte eu ter lembrado, meio atordoado com o que meu pai me dizia, dos contatos da página de classificados que tinha anotado em casa. Então eu disse, mais ou menos, aquilo que planejava dizer um dia pra eles. Mãe, pai, não se preocupem comigo. Sério. Esqueçam que eu existo, eu me viro, na boa. Me senti bem dizendo aquilo, não por mim, por eles. Mas acho que não me levaram muito a sério, porque ao se despedir, um pouco mais tarde, meu pai deixou claro, com toda a serenidade, que se eu quisesse — ou se precisasse — voltar pra casa, seria bem-vindo a qualquer hora.

Seu Elomar queria falar comigo, disse o porteiro magricela da tarde, me passando o recado. Pensei em ignorar o pedido do velho, pois estava preocupado demais com a inesperada necessidade de arranjar urgentemente um trabalho remunerado de qualquer espécie. Mais que preocupado, eu me sentia confuso, ansioso e sobretudo envergonhado pela súbita consciência que adquiri da minha situação. Não que eu me sentisse incapaz de conseguir um emprego qualquer, permanente ou temporário. Eu tinha um diploma, dominava o inglês e sabia um tanto de russo, e sabia também agir como um sujeito funcional quando era necessário. Nada me impedia de trabalhar, ou até mesmo de disputar uma bolsa de mestrado, exceto a minha falta de vontade, a plena convicção de que nada disso me interessava. Mas agora uma atitude nesse sentido era necessária, pra conseguir manter o que, isso sim, me interessava: o apartamento, e um dia-a-dia tão livre de interferências quanto possível.

Mas acabei me arrastando até a porta do apartamento do seu Elomar, que ficava numa extensão escura do corredor dos elevadores. Bati, já me arrependendo de não ter subido direto pra casa. Escutei seus passos pesados em direção à porta destrancada, que foi aberta de imediato.

Oi, o senhor queria falar comigo?

Sim, se importa de entrar?

Entrei. O interior daquele cubículo permanecia na minha memória como uma lembrança de infância, desde aquela manhã em que acordei no sofazinho mofado com a boca arrebentada. A profusão de objetos e móveis e de livros e discos e quadros e pequenas esculturas e uma plantinha aqui e um não-sei-quê ali e a minúcia e a limpeza com que tudo estava organizado me impressionaram ainda mais desta vez.

Então, qual é o assunto?, perguntei, indeciso entre sentar e permanecer de pé.

Seu Elomar, que desaparecera por alguns segundos, retornou com uma xícara de café preto.

Ah, não posso, obrigado, recusei, contando pra ele a situação dramática do meu estômago nas últimas semanas. Depois me corrigi e aceitei a xícara. Fazia tempo que eu não tomava um café decente. No primeiro gole, notei que estava bem quente, e o gosto puro me garantia que não era requentado, tinha sido passado fazia poucos minutos. A sensação que eu tinha era que o velho se preparara pra me receber.

No entanto, não parecia haver um motivo. Eu me sentei no sofá, ele numa cadeira em frente, e ficamos ali trocando frases amenas. Contei que o quadro que comprara dele fizera sucesso, a Marcela tinha gostado, o Lárcio também. Isso o deixou feliz e encabulado, e estabeleceu um tom de intimidade que me deixou um pouco desconfortável. Nisso, vi que ele olhava várias vezes, insistente, pra alguma coisa atrás do meu ombro. Virei. Na parede atrás de mim, no lugar do quadro que eu comprara, havia outro, novo. À primeira vista parecia um pandemônio abstrato, mas logo alguns elementos figurativos foram ficando evidentes. Prédios, longos viadutos que descreviam curvas impossíveis, e padrões que transmitiam a impressão de grandes multidões de pessoas espremidas pelas brechas do cenário, que tomava a forma de uma paisagem urbana apocalíptica, um mundo preto e cinza banhado por uma iluminação vermelha e laranja, crepuscular. Ou pelo menos era isso que eu via. Assim como as outras pinturas dele que disputavam espaço nas pequenas paredes do apartamento, esta permitia diversas leituras diferentes. No canto inferior direito, havia uma figura feminina um tanto destacada, à qual foram dedicadas as únicas e sutis pinceladas de branco em toda a imagem, que devia ter um metro e meio de largura. Só quando meu pescoço doeu percebi que estava com a cabeça virada pra trás fazia uns dois minutos.

É impressionante, eu disse.

Queria te mostrar, pintei semana passada.

Muito bom, seu Elomar. Muito bonito.

Terminei meu café, ele pegou a xícara e desapareceu. Escutei uma geladeira sendo aberta.

Quer sorvete?, me perguntou de lá.

Recusei.

Tem certeza? Eu mesmo faço, receita minha, disse ele,

e eu ia recusar de novo, mas ele já estava na sala com uma bacia amarela na mão, cheia de um sorvete esbranquiçado.

Vai só leite e fruta, explicou. Aprendi a fazer com uma ex-namorada minha, na Argentina.

Ahn... do que é?

Pêra.

Pêra? Caralho...

Não é qualquer hora que se come um sorvete de pêra, né?

Era verdade. Acabei aceitando a porra do sorvete. Voltou com uma tigela cheia. Provei.

Bah, que troço bom. Tu podia ganhar uma grana vendendo isso, seu Elomar.

Faço só pra mim mesmo. Eu gosto de mexer na cozinha.

Tu disse que aprendeu a preparar isso na Argentina? Tu morou lá?

Isso faz muito tempo. Foi nos anos 60. Conheci uma mulher no sul da Argentina, fiquei uns meses com ela. Tu já foi pra Argentina?

Não.

Pô, tão pertinho. É bonito. Eu fui de moto. Não tem carro? Tu pode ir de ônibus. Vale a pena. Se eu tivesse a tua idade, sairia viajando. Pegaria a minha namorada e...

Eu não tenho namorada.

Mas como não? E a...

Ela não é minha namorada.

Ah não? Então tá. Tu notou que é ela, ali?

Ela onde?

Ali, no quadro.

Virei pra olhar o quadro de novo. Ele só podia estar falando daquela coisa vagamente parecida com uma mulher, a figura em destaque no canto direito. Apontei.

Isto aqui? É a Marcela?

Isso. Tinha esquecido o nome dela. Na verdade, eu fiz o quadro pra ela. Sempre vejo ela passar aqui na portaria, mas fiquei com vergonha de entregar. Ela parece sempre meio apressada, preocupada, né, mas é tão querida, sempre me cumprimenta. Entrega pra ela? É de presente.

Sem palavras, tirei o quadro da parede. Olhando de perto, vi que parte da tinta ainda secava. Seu Elomar sorria satisfeito, agitando os pneuzinhos e pelancas no seu rosto avermelhado.

A Marcela já tinha ido embora quando subi. Em cima da cama havia uma embalagem de pizza. Abri, toda de calabresa, dois pedaços faltando. Uma garrafa litrão de Coca-Cola aberta ao lado do colchão. Quase perdido entre os lençóis, um bilhete que dizia que não, o pai dela não tinha sítio, mas ir pra Santa Catarina qualquer hora dessas seria show, beijos, tchau.

Eu pago o teu aluguel, ela me disse. Estava parada diante da janela, de banho tomado, toda pelada e fumando um beque.

Duas semanas haviam passado desde que meu pai anunciara o fim definitivo das doações familiares, e eu falhara completamente na busca por trabalho. Até que minhas tentativas foram mais consistentes do que imaginei. Fui atrás da vaga no tal escritório de tradução que eu vira no jornal, mas descobri que não ficava em Porto Alegre, e sim em Novo Hamburgo. Duas horas de viagem, ônibus e trem, era demais pra mim. Eu não conseguiria. E o salário não compensava. E eu não queria me mudar pra Novo Hamburgo. Respondi a alguns anúncios solicitando serviço particular de tradução, mas eram textos técnicos demais, um relatório de uma grande empresa de engenharia de alimentos, um projeto de captação de recursos pra um laboratório de biotecnologia, coisas que eu francamente era incapaz de encarar. Meu forte era literatura mesmo, e traduções literárias obedecem a uma lógica de mercado totalmente diferente. Eu podia passar alguns meses traduzindo obras pra tentar vender o trabalho a uma editora, mas meu problema era emergencial, precisava pagar algumas centenas de reais à proprietária do apartamento e ao condomínio em cerca de quinze dias. E até mesmo da literatura eu andava afastado. Na realidade, eu tinha quase parado de ler livros nos últimos meses. Era muito raro eu me animar a abrir algum dos títulos ainda não lidos da minha pequena biblioteca, que ficava empilhada no chão do meu quarto, e mais raro ainda ler qualquer coisa até o final. E foi só nas últimas semanas que tomei consciência da profundidade da minha apatia, pois até mesmo as últimas coisas que me estimulavam no mundo humano das atividades e projetos, a literatura e as línguas, agora me pareciam irrelevantes. Eu ainda tinha algumas estratégias em mente: uma bolsa de mestrado, dar aulas particulares de inglês ou russo, me inscrever num concurso público. Qualquer uma delas podia dar certo, mas não resolveria meu problema de imediato. Se eu não tomasse cuidado, a grana que eu tinha guardada não me permitiria nem mesmo comer decentemente por mais que umas poucas semanas. Cheguei a pensar em propor uma parceria a seu Elomar, eu podia tentar vender os quadros dele na Praça da Alfândega, e a gente racharia a grana. Uma idéia idiota, que descartei rapidamente. Mas o simples fato de ela ter me vindo à cabeça sinalizava minha ansiedade e minha confusão.

Tá louca, pagar meu aluguel? Aí é demais.

Não é, não. Eu tenho dinheiro pra isso.

Sei lá...

Pelo menos eu posso pagar este mês, até tu conseguir um emprego.

Tem certeza?

Então me dei conta do que ela podia estar pretendendo com aquela oferta. Queria se mudar pro meu apartamento, morar comigo. Só podia ser isso. Porque até então, embora aparecesse por lá duas ou três vezes por semana, durante meses, eu ainda era incapaz de ver a Marcela como uma companheira ou até mesmo como amiga. Ela era simplesmente uma guria que insistia em aparecer no meu apartamento. Meu afeto por ela crescera nesse tempo todo, mas eu não permitia que isso fosse além de um certo ponto de intimidade. Quando a gente acordava junto, eu enchia o saco dela e a incomodava até que resolvesse ir embora, um pouco ofendida. Eu queria ficar sozinho. E quando ficava, o desejo pelo retorno dela ia crescendo, uma sede de ter o corpo dela por perto, mas só por algumas horas. Era assim que funcionava fazia tanto tempo, e eu não via como poderia funcionar de outro modo. Era tão necessário pra mim que ela continuasse vindo quanto que desaparecesse sem muita demora.

Marcela, por acaso tu tá pensando em se mudar pra cá ou algo assim? Porque...

Ah!, ela gritou, apontando pra mim e jogando a ponta do baseado pela janela, depois pulando na cama, de quatro sobre o meu corpo, os peitos quase tocando meu rosto. Eu sabia que tu ia dizer isso, eu sabia!, ela disse, orgulhosa, as palavras acompanhadas de golfadas de fumaça fedorenta.

Porque eu acho que tu pode ir desistindo da idéia de...

Tu é tão previsível.

Que bom.

Eu preciso te contar uma coisa. Fiquei em dúvida se contava ou não, mas vou contar. Confesso que já pensei em te propor isso de vir morar contigo. Eu poderia pagar o aluguel no começo. Era a minha idéia. Mas ontem aconteceu uma coisa inesperada. Me telefonaram de uma superagência de modelos, dessas internacionais. Eles viram fotos minhas, e querem me contratar. E adivinha pra onde eles querem que eu vá.

Hm... São Paulo?

Não. Milão.

Milão na Itália?

Isso!

Porra...

Vai ter um puta evento lá no mês que vem. E eles querem me levar pra lá, com umas outras modelos daqui. Legal, hein?

Ô.

Pela primeira vez em muito tempo, ela não me parecia abatida. Os olhos brilhavam, e seu corpo todo vibrava. Afinal, aquilo se encaixava com um clique perfeito nos planos e sonhos dela. Viajar, talvez ganhar grana, conhecer lugares e pessoas, poder fazer a casinha dela não sei onde.

Tá, mas... tu vai ficar lá por quanto tempo?

Ah, não sei. Tu sabe como funcionam essas coisas. Posso voltar pra cá em seguida, ou posso receber propostas de trabalho no mundo todo.

Propostas de trabalho no mundo todo. Ela disse isso de forma inocente, e estava sendo honesta, mas as palavras soaram pra mim como pura afetação. Era como se ela dissesse Cansei dessa cidadezinha de merda, cansei desse teu apartamento vazio. Tu e a tua apatia podem passar muito bem aqui nessa província, porque eu vou pra Itália, vou arrastar minha bunda diante de fotógrafos, peruas malcomidas e bichas velhas, vou ser muito bem paga e vou comprar todas as coisas que eu digo que quero ter um dia, comprar os sonhos dos quais tu desdenha. Mas não foi isso que ela disse, essa era a maneira viciosa como meu cérebro insistia em registrar as coisas, e antes que eu descontasse meu despeito nela, me lembrei do quadro do porteiro, o que me permitiu mudar de assunto.

Tu viu o que tá ali na sala?

O quê?

O quadro. Vai lá ver.

Ela foi, ainda dizendo alguma coisa sobre a Itália, mas se calou repentinamente. Escutei um gritinho abafado, como num ataque de asma ou algo assim. Depois outro. Quando fui ver o que estava acontecendo, ela estava parada na frente do quadro, com o queixo pendurado. Percebi que tinha emagrecido nos últimos tempos. Um pouco demais pro meu gosto. Exigências do ofício? Há algo profundamente errado com os padrões de beleza deste mundo.

Lindo, lindo. Que coisa mais linda. É do porteiro, também?

Respondi que sim.

Parece que ele me conhece, que entrou dentro de mim pra desenhar isso.

Ele disse que aquela coisa meio branca ali no canto é tu.

É claro que sou eu, ela disse, séria.

Me forçou a acompanhá-la numa visita ao seu Elomar. Ele estava em casa, e nos atendeu com toda a sua simpatia bonachona. A Marcela deu um abraço nele, dizendo que a pintura era linda demais, empilhando agradecimentos redundantes. Os dois não eram estranhos um ao outro, era evidente que já haviam trocado mais do que cumprimentos no saguão do prédio. Eu contei a ela do sorvete que seu Elomar fazia, e ele trouxe potes e tigelas da cozinha. Desta vez de mamão e uva, e eram tão bons quanto o de pêra. A Marcela ficou encantada com os quadros, as pequenas esculturas em argila e toda a imensa variedade de objetos que aquele homem acumulava no seu cubículo numa organização metódica. Seu Elomar retirou de dentro de uma gaveta uma pequena pilha de jornais, revistas e outras coisas impressas. Em todas, fotos da Marcela. Havia até mesmo um editorial sobre sandálias de verão que saíra num jornal local, cheio de fotos do pé dela calçando um monte de coisas diferentes. Num cantinho, em letras pequenas, estavam os créditos da matéria, e o nome dela como modelo. Eu nunca tinha visto a maioria daqueles anúncios e matérias de moda, e fui olhando um a um rapidamente. A Marcela que eu conhecia não combinava com as poses sensuais e teatrais daquelas fotos, muito menos com a maquiagem, e no entanto era inegável que ela tinha um puta dum talento pra coisa, exibia uma beleza completa, ao mesmo tempo agressiva e convidativa, ora sorrindo, ora dando gritinhos, olhares enigmáticos ou decadentes. Seu Elomar pediu, se encolhendo de tão encabulado, um autógrafo dela na contracapa de uma dessas revistas de guria de colégio, um anúncio de uma loja de roupas de praia em que ela aparecia de corpo inteiro, saindo do mar. Tentei imaginar quando, em que circunstâncias ela tinha feito aquela foto. Era uma montagem, ou ela tinha ido mesmo pra alguma praia? Eu não sabia nada sobre a vida dela fora dos limites das paredes do meu apartamento, com exceção dos poucos detalhes que ela me contava entre uma foda e outra, entre algumas horas de sono e um cigarro, e isso não era novidade nenhuma, mas agora essa constatação me batia de um jeito diferente, pela primeira vez eu me indagava por que tinha de ser assim, se seria bom — e possível — que fosse de outro jeito.

Três dias depois, a Marcela apareceu mais uma vez pra me entregar uma quantia em dinheiro suficiente pra pagar as despesas de aluguel e condomínio. Mas não quis ficar. Parecia cansada e doente de novo, disse que tivera um dia cheio, sessões de fotos, problemas burocráticos pra resolver. Estava cheia de dores no corpo e com vontade de dormir sozinha no apartamento dela. Eu queria que ela ficasse comigo, mas não disse nada. Ela se foi, e não veio na semana seguinte. Nem na outra. E depois da terceira semana sem notícias, achei que ela tinha desaparecido pra sempre da minha vida.

Tu vai nos matar, seu desgraçado, eu berrava na orelha do Lárcio, com medo, sim, mas acima de tudo excitado e feliz. Havia um bom tempo eu não experimentava isso que as pessoas chamam de diversão. Aquele alemão era um psicopata. Eu sentia o motor da moto tremendo entre as minhas pernas, e o vento frio entrava pelo visor aberto do meu capacete com tanta força que me arrancava lágrimas. Lárcio costurava o fluxo dos carros, acelerava nas curvas, e eu, na carona, precisei aprender a jogar o meu corpo pros lados, compensando o peso, e se não fizesse isso direito a palhaçada terminaria em morte ou cirurgia plástica.

Depois de uma semana inteira sem que Marcela aparecesse no apartamento nem atendesse o celular, eu liguei pro Lárcio de um orelhão pra saber se ele tinha notícias dela. Não tinha, mas acabamos combinando de tomar uma cerveja juntos, e à noite ele me deu carona na moto, me emprestou o capacete da Ana e disse pra eu me segurar bem porque ele só sabia dirigir dando pau. Escolhemos um boteco na José do Patrocínio, onde permanecemos por muitas horas, bebendo sem parar, acendendo um cigarro no outro e falando da vida. A dele era bem mais interessante. Ele achou estranho eu ser formado em Letras mas não ser escritor, acreditava que era precisamente pra isso que essa faculdade servia. Estava bem longe de ser verdade, expliquei. Mas independentemente da minha formação, eu não tinha talento nenhum pra escrever, e uma criatividade nula. Se eu tinha jeito pra alguma coisa, era pra idiomas. Aprendia com facilidade, tinha uma memória infalível pra vocabulário. Ele me fez escrever coisas em russo num guardanapo pra provar que eu não estava mentindo. Estudara aquele idioma obsessivamente por três anos, contei. Minha monografia tinha sido uma tradução tosca de uma novela do Pushkin. E isso era provavelmente a coisa mais interessante que eu tinha feito. Digamos que minha vida definitivamente não renderia um livro, declarei rindo.

Lárcio dirigia a mesma moto desde os dezessete anos, era um modelo antigo, comprado pelo pai dele, mas foi o Lárcio que acabou se apaixonando pela máquina, tanto que se adonou dela. Acabou virando entendedor de mecânica, e fazia a manutenção sozinho. Vivia andando de moto pela cidade, achando pretextos pra sair de casa, ou indo a Canela e outras cidades da serra pra explorar estradas de chão. Depois de duas tentativas frustradas de passar no vestibular, decidiu arranjar um trabalho pra bancar um cursinho. Teve a idéia de trabalhar como motoboy por um tempo, tirou a carteira de moto e procurou vagas no jornal. Acabou se adaptando bem ao serviço, e nem chegou a fazer o cursinho, muito menos arriscou outro vestibular, até porque nenhum curso lhe despertava interesse. Dirigir a moto pela cidade fazendo entregas era divertido, segundo ele. Eu achava isso um tanto difícil de acreditar no início, mas depois soube que era verdade. Ele não queria ser nada na vida além de motoboy. E isso o transformou, subitamente, numa figura intrigante pra mim. Lárcio, o motoboy. Aquele alemão desengonçado, enorme, com a cara toda furada e os olhos aguados, uma criança hipertrofiada costurando o trânsito sobre duas rodas em alta velocidade, a moto parecendo estranhamente pequena debaixo do seu corpanzil.

Quando já não agüentávamos mais cerveja, fechamos a conta. Eu não tinha muita coisa na carteira, e fiquei devendo dez reais pra ele. Hesitei antes de aceitar ser levado pra casa numa moto pilotada pelo Lárcio bêbado, mas ele insistiu tanto em dar mais uma volta pela cidade na moto que acabei topando. Àquela hora as ruas já estavam vazias. Não havia muitos veículos com que se chocar, mas o Lárcio aproveitou pra fazer uso de cada cilindrada da moto pela Perimetral, túnel da Conceição, e finalmente na longa reta da avenida Mauá. Eu me entreguei à experiência, já estava metido naquilo, e o negócio agora era tirar proveito da estupidez. Depois o alemão ainda quis passar pela Farrapos pra conversar com as putas. Ele parava, perguntava o nome delas, quanto sairia o esquema pra "mim e meu amigo", fazia elogios à puta e seguia em frente. Depois de abordar umas quatro ou cinco, decidiu me levar pra casa.

Desci da moto, tirei o capacete e, quando olhei pra trás, vi as costas do Lárcio curvadas sobre a sarjeta, enquanto sua boca projetava uma coluna de vômito. Tinha o aspecto de cerveja pura. Eu certamente faria a mesma coisa assim que chegasse em casa. Me lembrei do apartamento do Lárcio, com todos aqueles detalhes que denotavam a mais prosaica e equilibrada vida doméstica, da Ana e do gurizinho deles, comendo palmito. Ele prendeu o capacete na moto, me cumprimentou, acionou a ignição e começou a subir a Duque a uns oitenta por hora, numa linha reta perfeita. Fiquei um tempo parado na calçada, pensativo. Eu não sabia dizer por quê, mas naquela hora me pareceu que ele era mais feliz que a maioria das pessoas.

Dedos alisavam o meu pescoço, e naquele estado entre o sono e o despertar virei meu corpo e abracei a cintura da pessoa que, sentada no colchão, me acariciava, como se isso fosse normal, como se eu estivesse acostumado a ter alguém ao meu lado todas as manhãs. Fazia calor, minha pele estava coberta por uma camada de suor viscoso e alcoólico. Forcei minhas pálpebras a se abrirem, começando a me dar conta de que era absolutamente inesperado que alguém estivesse dentro do meu quarto correndo os dedos pela minha nuca até as costas, e num primeiro momento, atordoado por uma dor de cabeça tremenda, não a reconheci. De repente dei um salto na cama, sentei encostado na parede, e meus olhos se acostumaram com a luz.

Há quantos dias ela não vinha? Mais de três semanas, eu tinha certeza. Um tempo que me parecia muito maior, mas não podia ser mais do que vinte e tantos dias, um prazo muito curto pra que ela tivesse emagrecido tanto, se transformado de maneira tão radical. Bastaria eu ter visto os dedos e o pulso que ela estendia na minha direção, raquíticos, feios. O rosto, mas também os braços, o pescoço, tudo o que a roupa deixava ver estava branco, uma palidez mórbida. No entanto ela me encarava sorrindo, com os mesmos olhos que eu encontrava antes nas manhãs, um olhar que nos conectava e expressava que éramos parte um do outro. É difícil imaginar sensação de maior conforto e serenidade do que esta, que surge da ilusão elaborada de que fazemos parte da vida de uma pessoa a ponto de estarmos verdadeiramente unidos, de tudo estar bem se o outro estiver por perto, se apenas nos for dada a chance de saciar os desejos e interesses um do outro, de tolerar um ao outro quando sacrifícios forem necessários e deixar que todo o resto se foda, se destrua e morra, porque não haverá problema. Aquele olhar dela era uma manifestação perfeita dessa ilusão confortadora. Durava pouco, apenas instantes, como qualquer êxtase, mas era eficaz. Ela estava magra, fraca, escancaradamente doente, mas o olhar era o mesmo, e o contraste entre a luz terna dos seus olhos e sua aparência física me dava a impressão de algo grotesco.

Sentiu saudade?, ela perguntou, me estendendo um copo cheio de água morna da torneira, que bebi em desespero.

Admiti que sim. Estava prestes a perguntar o que tinha acontecido com ela, quando o cachorro entrou no quarto, hesitante. Ele nunca entrava lá. Desde os primeiros dias em que o abriguei deixei claro que ele deveria ficar na cozinha ou na sala, sob pena de ser enxotado com um pontapé. Mas agora ele entrava, uma pata depois da outra, farejando o ar, olhando pra mim como quem perguntasse o que está acontecendo, depois olhando pra ela, a cabeça baixa.

Churras!, ela disse com aquela voz de mongolóide que se usa com crianças e animais de estimação. O cão se aproximou e ela ficou afagando sua cabeça. A situação ia contra a indiferença com que os dois normalmente se tratavam, ela e o cachorro. Eu conhecia bem aquele bicho. Enquanto era acariciado, ele me olhava como se quisesse me fazer entender que se oferecia aos carinhos dela de propósito, que estava abrindo uma exceção. Pode ter sido só impressão minha, mas não importa, essa idéia fez minha garganta se contrair e meus olhos ficarem cheios de lágrimas que, por sorte, não se acumularam o suficiente pra escorrer bochechas abaixo. Não gosto de chorar. Tentei me controlar, e consegui. Assim que se libertou das mãos dela, o cão me olhou uma última vez e voltou apressado pra sala.

Bebeu muito?, ironizou ela, que devia ter pisado havia pouco em alguma das latas de cerveja no chão da sala, ou chutado sem querer a garrafa de vodca que devia estar em algum canto do quarto.

Eu sorri, subitamente livre da vontade de chorar. A aparência dela me deixava tão perplexo que eu não conseguia pensar em mais nada.

Pois é, vim aqui mostrar o meu novo look, ela me disse.

O que aconteceu? O que tu tem?

Ela segurou minha cabeça e me beijou. Encostando minha boca no seu rosto, senti o suor e a temperatura alta.

Tou doente, ela disse, se esparramando na cama.

O que é desta vez?

Ela segurou a minha mão e a encostou no seu pescoço, logo abaixo da mandíbula. Senti um caroço inchado.

Isso é infecção, eu disse. Dor de garganta de novo?

Custa tomar o antibiótico sem encher a cara ao mesmo tempo? E ficar uns dias sem trabalhar? Tu nunca vai ficar boa, desse jeito.

Não é infecção, ela disse. É um linfoma.

Eu sabia o que era um linfoma. Mesmo assim, perguntei.

O que é um linfoma?

Câncer linfático, ela respondeu, sem pausa dramática, sem nada.

Tem certeza?

Tenho. Passei as duas últimas semanas fazendo exames. Primeiro tomei quilos de antibióticos, pra eliminar a possibilidade de que fosse infecção. Mas há uns dez dias apareceu isto aqui, e ela conduziu novamente a minha mão, desta vez pro meio das suas pernas, e naquele instante quase achei que era tudo uma brincadeira dela, que debaixo da saia de brim ela estaria sem calcinha, uma piada de mau gosto, mas ela estava de calcinha sim, e me fez tatear dois outros caroços, na virilha, um de cada lado.

Quando estes apareceram, aí eles não tiveram mais dúvida.

Respirei.

O que eu não entendia agora era por que ela não estava num hospital, e ela me explicou que os pais dela estavam esperando no carro, ela voltaria pra Caxias do Sul com eles, pra esperar o resultado de uns exames que definiriam como seria o tratamento, mas era certo que ia rolar quimioterapia, provavelmente radioterapia também. E tudo o que ela podia fazer, por enquanto, era repousar. Quais as chances de cura, eu quis saber, e ela disse que era difícil ter certeza, mas que o caso dela era grave, tinha evoluído depressa demais, muito mais que o normal. Falaram em alguns meses. Até o momento ela lidara bem com a situação, mantivera uma expressão forçadamente serena no rosto, mas agora, quando as coisas se colocaram em termos de uma sentença de morte, a armadura se desintegrou e transpareceram o terror e a frustração que na verdade sentia.

Sabe o que é pior, disse ela aos engasgos, começando a chorar, o pior é que tu sempre ouve dizer que nesses casos a vontade de viver é decisiva pra combater a doença, e não sei o quê, fulano resistiu porque tinha uma vontade imensa de continuar vivendo, sabe? E eu tento, tento pensar assim, mas não consigo parar de pensar que vou morrer. É como se já estivesse aceitando, e não consigo fazer parar. É horrível, horrível.

Eu vou te ajudar, eu disse. Posso ficar contigo? Posso ir contigo pra Caxias?

Não, não, ela negou, enfática.

Por que não?

Eu não quero. Na verdade, forcei meus pais a me trazerem aqui porque acho que a gente não vai mais se ver.

Mas eu quero ficar contigo.

Não.

Me deixa o telefone de vocês em Caxias, pelo menos.

Não.

De repente estávamos os dois deitados lado a lado na cama, voltados em direções opostas. Mesmo agora, eu conseguia sentir rancor pela insistência dela em me dar um adeus definitivo, e ficava em silêncio, esperando que ela voltasse atrás e dissesse algo primeiro, sabendo que ela esperava a mesma coisa, e não me espantaria se ficássemos assim até ela se levantar e, ainda sem dizer nada, sair do apartamento, entrar no carro dos pais e desaparecer de novo, desta vez pra sempre. Eu torcia em pensamento: volta atrás, volta atrás, pede desculpas, me dá teu endereço em Caxias, pra que eu possa pegar um ônibus amanhã e te encontrar lá. Mas isso não aconteceria. A única coisa que os meus ouvidos captavam eram buzinas de carros, o motor dos ônibus, ruídos do trabalho em alguma construção. Como se sobrevoasse o prédio, nos imaginei no topo daquele edifício de dezessete andares, tantos metros acima da cidade, deitados de costas um pro outro, nossos corpos quase se encostando mas ainda assim separados, cada um olhando pra sua parede.

Era como qualquer outra ocasião passada em que ficávamos emburrados um com o outro por um choque de temperamento, de idéias ou de desejos. O resultado era sempre o mesmo. Por que seria diferente agora? Me virei um pouco pro lado dela e coloquei a mão na sua coxa, esfregando docilmente. Fiz a mão subir devagar debaixo da saia, em direção ao quadril. Ela segurou meu pulso, protestou com um resmungo qualquer, mas eu insisti e ela cedeu. Agora eu me sentia seguro, sabia como agir, tinha controle sobre pelo menos uma parte da situação. Mesmo sem ter certeza de que essa fosse a melhor coisa a fazer, minha mão teria se movido contra a minha vontade pelas pernas dela. Continuei tocando seu corpo emagrecido por baixo da roupa, ela estava com uma blusinha justa que trazia as palavras YOU HERE escritas em rosa berrante bem em cima dos peitos. O tecido estava encharcado de suor, a pele queimando de febre. Enquanto beijava seu pescoço, senti a proximidade esquisita da minha boca com o nódulo inchado, uma usina de células defeituosas proliferando com voracidade, matando aos poucos aquele corpo indescritível que ela tinha. Tiramos toda a roupa, e vi por completo os primeiros e mais leves sinais de degradação. A palidez, a postura desmontada pela fraqueza dos músculos e a magreza fulminante a deixavam mais parecida que nunca com o padrão de beleza das passarelas de moda. Tudo isso me horrorizava, mas meu pau estava duro como jamais antes, e eu meti até o fundo na buceta dela, que por sua vez estava quente e receptiva como nunca antes. Ela não me impedia, e isso bastava. Fodemos rápido, com pressa, loucos pra que aquilo acabasse logo. E foi mesmo rápido, muito rápido. Eu vi o orgasmo chegando no corpo e nos olhos dela, culminando com uma convulsão e um grito implosivo, os olhos virados pra trás, e gozei ao mesmo tempo, minha porra no fundo, bem lá no fundo.

Ficamos uns poucos minutos deitados, voltando ao mundo real, atravessados no colchão sem nos tocarmos. De repente ela começou a se vestir, e eu perguntei É isso? Vai embora sem me dizer onde vai estar?

Vou mandar notícias, ela disse. Ligo pra casa dos teus pais. Agora eu preciso ir.

Não havia como protestar contra a simplicidade daquela despedida. Eu mesmo teria dito: quanto mais breve e simples, melhor. Depois de calçar as botas, ela se levantou e foi até a sala.

Tu ainda tem a chave deste apartamento, eu disse. Pode aparecer quando quiser.

Foi a melhor foda da minha vida, ela respondeu. Vim pro lugar certo.

Disse isso e sorriu, e até então eu nunca tinha percebido como o riso pode ser incompreensível, como o que o aciona pode ser misterioso, e eu mesmo sorria com esse pensamento, anestesiado.

Fui me despedir do porteiro. O apartamento tinha sido esvaziado pela manhã. Foi rápido, não havia muita coisa mesmo. Seu Elomar estava emburrado. O cachorro tinha me seguido e começou a lamber a mão do velho. Expliquei que não era apenas um problema de dinheiro. A verdade é que morar lá em cima sozinho tinha perdido a graça. Eu precisava retroceder um pouco e decidir um novo rumo. Ele perguntou sobre a Marcela. Nenhuma notícia, desde que ela se fora. Fiz alguns esforços, liguei pra alguns hospitais, mas não descobri onde ela estava sendo tratada. Seu Elomar parecia prestes a dizer algo, ficou um tempo indeciso, até que falou.

Ela parecia um pouco atormentada, aquela menina.

A Marcela? Por quê?

Não sei se eu devia contar. Talvez não signifique nada, mas muitas vezes ela aparecia aqui no prédio e não subia. Eu abria a porta, ela entrava no saguão e parava. Em algumas ocasiões ela chegava a acender um cigarro, fumava até a metade, jogava no chão e ia embora. Às vezes ela parava na porta do elevador, às vezes nem chegava a entrar no prédio, ficava lá na rua por alguns instantes e sumia.

Isso acontecia muito?

Olha... bastante. Teve uma época em que ela vinha quase todo dia. A gente chegou a conversar um pouco algumas vezes.

Sobre o quê?

Nada de mais. Mas ela parecia sempre preocupada, ansiosa. Esse pessoal mais novo, da idade de vocês, tá sempre assim meio nervoso, meio perdido, né?

Eu não queria que aquela conversa fosse muito longa. Cumprimentei seu Elomar e prometi aparecer pra falar com ele de vez em quando. Ele perguntou se eu levaria o cachorro comigo. Levo, se ele quiser ir, respondi. Eu não ia botar uma coleira nem nada. Meu pai me daria uma carona, devia estar chegando a qualquer instante. Eu abriria a porta do carro, e se o cachorro quisesse entrar, tudo bem.

Ele entrou.

E então lá estava o meu antigo quarto, no mesmo estado em que eu o abandonara tantos meses antes. O mesmo material sobre a escrivaninha, os móveis na posição de sempre, o videogame empoeirado debaixo da tevê, uma extensão do telefone próxima à cabeceira da cama. O que era mesmo que me causava tanta repulsa nisso tudo? Eu já tinha esquecido. Agora eram objetos inofensivos, nem bons nem maus, apenas inúteis. Não mudei nada. Só reacomodei meus livros em suas prateleiras e tirei um pôster do Led Zeppelin da parede pra colocar o quadro que seu Elomar pintara pra Marcela.

Foram dias esquisitos. Na tentativa desesperada de me ocupar, retomei o hábito de ler. Lia pelo menos quatro ou cinco horas por dia, e depois ia pro computador do escritório, ver putaria na internet. Lentamente, comecei a escrever o esboço de um projeto de mestrado em literatura comparada. Mas não adiantava ter pressa, ainda faltavam alguns meses pro início das inscrições na universidade federal. Telefonei pra velhos professores e encontrei um que estava disposto a me orientar. Nas horas mais vazias, eu caminhava sem objetivo pela Ipiranga, fumando e tentando ter alguma idéia. Nos primeiros dias, o cachorro me seguia, acompanhávamos um ao outro, num transe semelhante. Era a companhia ideal pra mim. Total ausência de palavras. Apenas alguns olhares cúmplices, mais nada. Assim como ele, eu só queria me adaptar à civilização à medida que isso fosse necessário à minha sobrevivência.

Depois de três semanas, consegui um emprego, novamente como professor de inglês num cursinho desses pra adolescentes. O trabalho só começaria na semana seguinte, então tive mais alguns dias de ócio pela frente. Aos poucos, recomecei a ver televisão. Agora existia até mesmo um canal chamado Canal do Boi, que ficava alternando imagens de bovinos e informações sobre datas de leilões agropecuários, embaladas por melodias new age ao fundo. De vez em quando entrava o depoimento de algum veterinário, como propaganda de determinado remédio. Aluguei DVDS de clássicos que eu nunca tinha visto. Permanecia uma hora inteira mergulhado dentro da banheira, escutando música, até a água ficar fria. E especialmente ali, dentro d'água, eu me sentia cansado. Velho, em certo sentido. No sentido de que era tarde demais pra morrer jovem.

E eis que um belo dia o cachorro me aparece mancando. Não era bem mancando, caminhava torto, com dificuldade. Resolvi esperar mais uns dias pra ver no que dava, e na manhã seguinte ele não só caminhava com dificuldade, mas também não comia e tinha a região da virilha inchada. Meus pais quiseram levá-lo logo ao veterinário. Ele apalpou o corpo do bicho, retirou material da parte inchada com uma seringa, fez mais umas observações. Era câncer. Um ataque fulminante. E eu tinha de escolher entre deixá-lo definhar até o fim, ministrando anestésicos, e sacrificá-lo. Pedi um tempo pra pensar. Levei o cachorro pra rua, sentei ao lado dele na calçada e tentei entender o que acontecia. Então era isso, todo mundo ia começar a morrer dessa merda ao meu redor? O céu estava completamente azul e fazia sol. Pedestres caminhavam apressados às nossas costas, ignorando a nossa presença. O cão sentou e começou a ganir muito baixo, quase não dava pra ouvir, principalmente com a barulheira infernal dos ônibus e lotações que encostavam numa parada a poucos metros de onde estávamos. Passei a mão devagar na sua cabeça, tentando fazer que ele se acalmasse. Aos pouquinhos, ele foi se deitando, o corpo cada vez mais mole. Aí eu percebi o que estava acontecendo. Continuei tentando acalmá-lo, aparentemente ia ser bem rápido. Ele defecou uma diarréia sanguinolenta, e a respiração foi sumindo. Fiz como fazia com as ovelhas que o meu vô abatia no sítio. Fiquei olhando nos olhos do cachorro, tão de perto que conseguia ver minha própria imagem refletida na superfície do olho, até que, depois de dois ou três minutos, a imagem foi sumindo, enquanto os globos oculares ressecavam.

Sim, eu tou viva. Que pergunta idiota. E se não dei notícias por tanto tempo foi simplesmente porque não me deu vontade. Não, não estou em Porto Alegre, estou em Caxias. Não vou voltar pra Porto Alegre, nunca mais. Cansei das pessoas falando da minha vida, das festinhas e dessa coisa de ficar dando três beijinhos na cara de pessoas que eu sei que falam mal de mim, ou que me invejam. Tu nem deve saber exatamente do que eu tou falando, né? O que tu sabe sobre a minha vida, na verdade? Pouco, eu sei. Eu também sei muito pouco sobre a tua vida, parando pra pensar, mas no teu caso é porque não tem muita coisa pra saber mesmo. Isso não é uma crítica, tu sabe disso, tenho certeza de que tu me diria a mesma coisa. Posso imaginar essas palavras saindo da tua boca. Tu não sabe nada sobre mim porque não tem nada pra saber mesmo. É possível que tu tenha de fato me dito isso algum dia. Não importa, o que eu estava dizendo é que eu não sou assim. Tem muita coisa que tu poderia ter ficado sabendo da minha vida, mas nunca se interessou. Às vezes eu conversava com o porteiro do teu prédio, aquele com a cara gordinha e fofa, cheia de dobrinhas. Ficava alguns minutos contando coisas pra ele, antes de subir pra te encontrar. Ele escutava minhas reclamações e meus problemas como uma pessoa normal, me confortava, me fazia sentir como se meus lamentos realmente tivessem razão e sentido. Não é assim que as pessoas fazem umas com as outras? Mas tu não era assim, era só eu abrir a boca pra me lamentar um pouco ou contar algo sobre o meu dia, sobre as coisas que eu faço, que tu me vinha com aqueles papos de que se eu fazia o que fazia, era por uma decisão minha, que afinal eu podia parar a qualquer momento, e tu fechava os ouvidos pras minhas reclamações, desdenhava dos meus problemas como se eles não tivessem nenhuma mísera relevância. E aí tu fumava, me ignorava mais um pouco, e me oferecia uma bebida, e eu começava a esquecer um pouquinho todas as coisas chatas que acontecem comigo enquanto te olhava e lembrava como tu é bonito, como sabia me tocar, e de repente estar junto contigo naquele apartamento me fazia esquecer de todo o resto, e sem mais nem menos eu era obrigada a te dar razão, meus problemas pareciam realmente irrelevantes. Aquilo era tão bom, era só disso que eu precisava, alguém que pudesse escutar por alguns segundos minhas ladainhas sobre o meu cansaço, meu trabalho e meus sonhos mirabolantes e que me interrompesse dizendo com desdém Pfff, isso aí não é nada. Sabe? E aí a gente ficava sei lá quantas horas fazendo sexo, dormindo, acordando, bebendo, até que uma hora tu decidia que era suficiente, e me mandava embora. Sim, tu me mandava embora. Talvez nem se desse conta disso, mas eu percebia na hora, tua impaciência e grosseria eram um sinal de que eu deveria sumir da tua vista. Isso era tão difícil pra mim, tu nem faz idéia. Eu catava minha roupa espalhada pela casa, me vestia enquanto olhava pelas janelas enormes do teu apartamento, o Guaíba e a cidade toda estendida diante dos meus olhos, aquele horizonte que dava toda a volta ao redor de mim, e pensava Ei, agora é o momento de sair daqui do alto e voltar lá pra baixo, tenho um teste lá na puta que pariu, contas a pagar e gente a visitar e filmes a assistir, amigos a encontrar. Cada vez que eu descia pelo elevador do teu prédio eu prometia a mim mesma que nunca mais ia voltar. A raiva era muita. Mas é claro que eu voltava. Eu precisava tanto de ti naqueles dias, tu nem faz idéia. Tu precisava de mim também, que eu sei. Tenho certeza de que tu teria voltado pra casa dos teus pais há muito tempo, não fosse por minha causa, se eu não continuasse aparecendo. Não foi exatamente isso que aconteceu? Quanto tempo depois da nossa despedida tu abandonou o apartamento? Duas, três semanas? Tu é tão previsível. Bom, deixa eu te contar o que me aconteceu. Eu fiquei três dias com meus pais em Caxias, e piorei muito. Um horror que não dá pra imaginar. Fui internada em um hospital. Existem casos de câncer que se desenvolvem muito rápido, mas os médicos estavam assombrados com a minha situação. Minha expectativa de sobrevida baixou, começaram a me dar umas medicações sinistras. E eu comecei a aceitar a situação. Tu já pensou na morte? Mas pensar mesmo? Tu não tem que imaginar o teu caixão, ou tua cabeça esparramada num asfalto, nada disso, não é assim que se faz. Apenas imagina o mundo sem a tua presença. Imagina o Churras começando a sentir tua falta depois de uma semana. Imagina todas as tuas coisas, e a tua família e os teus amigos se perguntando o que será feito delas. Imagina teus amigos lembrando os melhores momentos que passaram contigo, imagina teu melhor amigo numa mesa de bar com outros amigos propondo, num lapso, que alguém telefone pra ti e te convide pra beber com eles. Eu passei alguns dias pensando coisas assim. Pensei tanto que uma hora não tinha mais o que pensar, e aí me acalmei. Eu estava pronta. Nunca levei muito a sério o papo de vida depois da morte, a certeza que eu tinha era que a coisa ia acabar ali mesmo, mas curiosamente eu não sentia nada parecido com desespero ou medo. Tava mais pra uma ansiedade. Finalmente esse tumulto todo vai acabar, eram coisas assim que me passavam pela cabeça. E então a doença começou a desaparecer. De uma hora pra outra. Minhas dores foram diminuindo. Os médicos não entenderam nada, eles tão até agora estudando o meu caso, me fazendo exames. Eles me deixaram mais um tempão em observação, pra ver se o câncer não reapareceria, até que me deram alta e voltei pra Caxias com meus pais. O que eu tou te dizendo é que a doença sumiu em poucos dias. Parece que não existe nenhum caso parecido na história. Eu tou boa. E desde que isso aconteceu, antes mesmo de pensar em reorganizar minha vida, fiquei me perguntando se devia ou não te procurar de novo. E adivinha o que eu decidi? É por isso que estamos conversando. Ah, não espera ouvir de mim nenhuma dessas bobagens de que eu nasci de novo, de que um milagre aconteceu, ou Deus enviou anjos pra me salvar. Não acredito em nada disso. Pra mim isso tudo não foi muito diferente de quando tive varicela na adolescência, e minha cara ficou cheia de bolhas e feridas e eu achei que ficaria deformada pra sempre e chorava dia e noite achando que seria feia pro resto da vida, até que as bolhas secaram e as feridas viraram casquinhas e caíram e a única coisa que mudou em mim foi a minha vaidade, que se tornou menos obsessiva. Desta vez foi parecido, não nasci de novo, mas acho que estou vendo as coisas com um pouco mais de clareza. E por isso tenho certeza de que quero te ver de novo. E vou te dizer por quê. Apesar do jeito que tu me trata me magoar às vezes, tu é a única pessoa com quem eu não me sinto sozinha. Acho que era isso que me fazia voltar toda vez pro teu apartamento. Sabe, agora eu entendo um pouco mais a razão de tu querer ficar tão isolado lá em cima. É tudo a mesma coisa. Isolado ou mergulhado numa multidão, no trânsito, no trabalho, a solidão é sempre a mesma, com exceção daquelas poucas, raras pessoas em cuja presença a solidão some, mesmo que não seja o tempo todo. Então escuta o seguinte. Eu quero sair desta cidade. Na verdade, quero sair deste país. Já não tenho tanta grana guardada quanto eu tinha antes, meus pais também ficaram meio mal depois dos médicos e da internação e tudo, tiveram de pagar muita coisa, os coitadinhos, mas eu tou convencendo eles de que preciso fazer uma viagem de alguns dias pra apagar toda essa experiência horrível da minha cabeça. Eles não tão entendendo nada, mas enfim. Tenho uma amiga que é modelo morando em Nova York, ela tá mais ou menos estabelecida lá, andei trocando uns e-mails com ela. Menti pros meus pais que vou visitar ela por uns dez dias, mas meu plano é não voltar. Tou com a passagem, já, pra daqui a doze dias. E já pensei muito sobre isso, então tenho certeza do que vou dizer: queria muito que tu fosse comigo. Nossa, eu já imaginei isso de tantas maneiras. Essa minha amiga tem contatos que podem me ajudar a conseguir trabalho, e tu poderia dar aulas de português, é certo que ia conseguir alunos, ou senão tu pega um desses empregos que os brasileiros pegam por lá, tipo entregador de comida, pedreiro, faxineiro, balconista, ah, sei lá, qualquer merda, só não quero que tu venha me dizer que é impossível porque não é. É só tu conseguir uma passagem de ida, não pode ser tão difícil assim. A gente pode ficar na casa dessa minha amiga por um tempo, nós dois, ela tá avisada dessa possibilidade. Enfim, acho que tu já entendeu. E eu cansei de falar, nem lembro mais por onde comecei, espero não ter falado muita merda. E antes de desligar eu só quero que tu me diga se topa ou não topa o que eu tou te propondo. Alô, tu tá aí? Me responde. Eu posso esperar, não tem problema. Ahn? Fala pra fora, porra. Isso foi um sim ou foi um não?

1ª EDIÇÃO [2007] 6 reimpressões

ESTA OBRA FOI COMPOSTA POR RITA DA COSTA AGUIAR EM MERIDIEN
E IMPRESSA PELA GRÁFICA PAYM SOBRE PAPEL PÓLEN BOLD DA SUZANO S.A.
PARA A EDITORA SCHWARCZ EM JANEIRO DE 2022

A marca FSC® é a garantia de que a madeira utilizada na fabricação do papel deste livro provém de florestas que foram gerenciadas de maneira ambientalmente correta, socialmente justa e economicamente viável, além de outras fontes de origem controlada.